D1224180

PROYECTO
natur

El huerto ecológico

Un oasis de vida

Joan Solé

Guía práctica para el cultivo en casa

2ª edición

Diseño de cubierta: Ned ediciones
Diseño gráfico interior y maquetación: Paolo Portaluri
Ilustraciones: Paolo Portaluri

Primera edición: mayo 2011, Barcelona
Segunda edición: junio 2021, Barcelona

www.nedediciones.com

ISBN: 978-84-18273-40-7
Depósito legal: B 8183-2021

Impreso en Podiprint

Impreso en España
Printed in Spain

Colección
NATUR

Laura Kohan
Alimentos saludables para el siglo XX
Guía de ingredientes biológicos para una vida sana

Laura Kohan
Cocina Bio de Tempora Invierno
92 recetas vegetarianas, prácticas y deliciosas.

Jordi Bigues y Susanna Martínez
El libro de las 3R. Reciclar, reducir, reutilizar

Henry David Thoreau
El arte de caminar
Walking un Manifiesto inspirador

Miquel Àngel Alabart
El bebé feliz
Disfrutar de la crianza natural de 0 a 18 meses

Virginie Manuel
Los caminos del reciclaje

Laura Kohan
Cocina Bio de Tempora Verano

El huerto ecológico

Un oasis de vida

Joan Solé

Índice

Índice

Introducción

El huerto ecológico, un oasis de vida

En el momento actual que vivimos, cada vez más conscientes de la necesidad de proteger el medio ambiente, sentimos la necesidad de poder contribuir en nuestro quehacer diario a realizar acciones que favorezcan una relación más armónica con nuestro entorno, reduciendo, reutilizando y reciclando los residuos que producimos, haciendo un uso eficiente del agua y la energía, desplazándonos habitualmente sin usar nuestro vehículo a motor…

A parte de las acciones antes mencionadas, es afortunadamente bastante frecuente plantearse el cultivo de plantas hortícolas, muchas veces sin ser necesario disponer de grandes espacios de terreno, ni tan siquiera estar en un entorno rural e incluso sin tener tierra, extendiéndose cada vez más en las ciudades el cultivo urbano en recipientes (macetas, jardineras, mesas de cultivo, etc.). El huerto ecológico es la oportunidad de retomar nuestro contacto diario con la naturaleza, la mayoría vivimos en zonas urbanizadas, ciudades o pueblos, donde la mayor parte del tiempo lo dedicamos al trabajo y buscamos , en nuestros momentos de ocio, algún aliciente que nos produzca una satisfacción personal o colectiva y que además tenga algún beneficio para el medio ambiente.

En muchas ciudades ya se están impulsando iniciativas que permitan un acercamiento a la naturaleza, no tan solo desde el punto de vista de su conocimiento, respeto y para disfrutar de ella sino también integrándola en la ciudad, como un elemento más de nuestra vida cotidiana y haciéndonos partícipes de ella dándonos cuenta que dependemos de ella, que de su conservación y buen uso dependerá nuestra calidad de vida y la de las generaciones futuras. En este sentido algunos municipios han sido pioneros a la hora de crear una red de huertos municipales en terrenos de titularidad pública cediendo parcelas durante un periodo determinado a los vecinos i entidades ciudadanas del entorno para el cultivo ecológico de frutas y hortalizas.

UNA MIRADA AL ENTORNO

Te proponemos que busques en tu pueblo o ciudad iniciativas colectivas relacionadas con el cultivo ecológico o el consumo responsable:

- redes de consumo solidario
- cooperativas de consumo
- redes de compostaje casero
- huertos comunitarios o municipales
- programas escolares para fomentar los huertos ecológicos en las escuelas

Seguro que encuentras algunas que te servirán para tomar contacto con el tema de la agricultura ecológica o a integrarte a las numerosas redes sociales surgidas en los últimos años.

Los valores ecológicos del huerto

El huerto que os proponemos que llevéis adelante parte de un concepto a menudo diferente del que podemos tener a priori de un huerto más o menos convencional: nuestro huerto será ecológico. Partiendo de la definición de agricultura ecológica como aquélla que se lleva a cabo prescindiendo del uso de los productos químicos de síntesis, su práctica conlleva la utilización de métodos de cultivo específicos, teniendo en cuenta las relaciones entre todos los elementos vivos y ambientales del espacio donde cultivamos, con la finalidad de producir alimentos sanos, aumentando la biodiversidad y protegiendo el medio ambiente y la salud de las personas. También conlleva el uso autosuficiente de recursos haciendo compostaje para producir buen fertilizante para nuestra tierra, preparando nuestros productos fitosanitarios caseros para tener nuestras plantas más sanas o instalando un sistema de recogida de agua de lluvia para satisfacer las necesidades de riego.

Dando protagonismo a la naturaleza

El huerto ecológico es un espacio donde la naturaleza se muestra en su máxima plenitud: la tierra, las plantas, los animales que allí viven y los que están de paso, y el entorno, con sus condicionantes de luz, temperatura y humedad. Poco a poco el espacio que adecuamos y empezamos a cultivar adquiere una entidad superior, diversa, compleja y vital.

Será como un pequeño ecosistema que podremos contemplar, estudiar, disfrutar y que nos proporcionará unos alimentos sanos y naturales.

Un espacio para la biodiversidad vegetal...

En nuestro huerto no sólo nos centraremos en el cultivo de las plantas destinadas a la producción, ni esta ha de ser nuestra única misión, las plantas del huerto conviven en armonía al lado de otras plantas que las acompañan, un huerto ecológico es también un jardín y viceversa, un jardín ecológico es también un huerto. Al fin y al cabo estamos cultivando plantas. El huerto está rodeado de plantas de todo tipo, potenciado la presencia de aquellas que son autóctonas o bien adaptadas al clima o microclima, con plantas herbáceas y leñosas, de hoja perenne y caduca, de diferentes formas y alturas, floreciendo en diferentes épocas del año…

... y animal

Observaremos numerosos animales que acuden atraídos por las buenas condiciones ambientales que les ofrecemos: insectos, gusanos, lagartijas, pájaros..., la diversidad animal en nuestro espacio es un buen indicador del grado de calidad ambiental que conseguimos. Los insectos, a menudo temidos, se convierten en nuestros compañeros y aliados ayudándonos en el control de aquellos que pueden causar daño a nuestras plantas. Es importante reflexionar sobre el uso indiscriminado que a veces se hace de los productos químicos para combatir cualquier ser vivo que acude a las plantas que tenemos en la terraza o en el jardín. Es curioso que mucha gente quiera tener un jardín lleno de flores sin ningún insecto a su alrededor, ya que contravenimos las reglas más elementales de la naturaleza (las flores son vistosas y olorosas para atraer a los insectos y favorecer su polinización) .

Un huerto sano

En el huerto ecológico creamos las condiciones para que las plantas estén sanas pero se pueden presentar problemas debidos al ataque de algunas plagas y enfermedades que hemos de prevenir y controlar. La agricultura ecológica nos proporciona los mecanismos para hacerlo: sistemas de trampas, preparados medicinales hechos con plantas (ajo, manzanilla, ruda, ortiga...), que nosotros mismos podemos preparar, o recurriendo a otros productos de origen natural como el jabón potásico o el extracto de nim.

La tierra, nuestra gran aliada

La tierra, a menudo castigada al ser pisada o tratada con herbicidas, sin ningún aporte orgánico y pretendiendo que haga crecer plantas sanas y vigorosas a golpe de fertilizantes y tratamientos varios, debe ser mimada, protegida y alimentada. Una tierra sana, con buenos aportes orgánicos, que se mantenga aireada y esponjosa, con una buena capacidad de retener agua y sin ser pisada, nos recompensará dándonos plantas sanas y productivas.

Todos los elementos que configuran nuestro huerto tienden a cohesionarse y orientarse hacia unos resultados que irán mejorando a lo largo del tiempo y que, al caso de uno o dos años, alcanzarán un notable estado de madurez, permitiendo simplemente que la naturaleza siga su curso. El huerto nos dará muchas satisfacciones pero no siempre todo funcionará a la perfección. Ante los fracasos no hay que desanimarse sino intentar analizar y corregir aquello que creemos que no ha ido bien.

UNA PAUSA PARA LA REFLEXIÓN

Varias pueden ser las motivaciones para cultivar un huerto:

- obtener alimentos sanos, frescos y sabrosos
- tener un espacio para desarrollar un trabajo agradable y útil para nuestro cuerpo y mente
- estar en contacto con la naturaleza para conocerla, admirarla, protegerla y aprender de ella.

Seguro que se os occuren muchas más. Os invitamos a que vayáis anotando unas cuantas a medida que vayáis avanzando en la construcción de vuetro huerto:

....

....

....

UN ESPACIO EDUCATIVO Y DE RELACIÓN

El huerto se puede convertir además en un punto de relación familiar y social, ambientando el espacio para fomentar una estancia agradable: un banco a la sombra para el verano, tomar el sol en invierno, degustar allí mismo frutas o hortalizas recién cogidas… El huerto es un espacio que nos permite hacer un ejercicio físico moderado y gratificante, donde la temperatura se suaviza, el aire está más oxigenado y con una humedad moderada debido a la transpiración de las plantas.

El huerto puede ser considerado como un espacio de salud en toda su plenitud de bienestar físico, psíquico y social.

El huerto cada día nos depara sorpresas y despierta admiración en niños y adultos. Los niños acuden al huerto por sí solos porque allí encontrarán un espacio de tranquilidad o actividad, observarán el curso de la naturaleza y a menudo son los que más perciben los cambios y las necesidades de las plantas. Cuando llega el momento de la cosecha podemos conocer los valores nutritivos de los vegetales, revisando nuestros hábitos alimentarios y mejorando nuestra dieta comiendo más frutas y hortalizas, que en nuestro huerto adquirirán un sabor excepcional.

También servirá de ejemplo a nuestros vecinos y amigos para que ellos también se animen a cultivar. ¡Ofrezcámosles una cesta de hortalizas recién cogidas para que las saboreen!

Nuestro trabajo en el huerto hará que valoremos más el oficio agrícola y pensemos en la gente que vive del campo, que nos proporciona los alimentos que necesitamos y sin olvidar que sigue siendo una posible salida profesional a pesar de que a menudo se olvida y no la tenemos en cuenta como tal. Afortunadamente la agricultura profesional está evolucionando hacia prácticas cada vez más respetuosas con el medio ambiente y van aumentando las hectáreas de cultivo que se hacen de forma ecológica porque cada vez hay más demanda de estos productos.

Principios básicos de agricultura ecológica

¿Qué es la agricultura ecológica?

Es una práctica agrícola que no prevé el uso de productos químicos de síntesis, como son los fertilizantes químicos, los pesticidas y las fitohormonas.

Definimos como:

- ***fertilizantes químicos*** a aquellos compuestos que sirven de nutrientes a las plantas
- ***pesticidas*** a aquellos productos de origen químico que se utilizan para combatir las plagas, enfermedades y trastornos de las plantas.
- ***fitohormonas*** a las sustancias artificiales que aceleran procesos fisiológicos de los vegetales como la floración, el crecimiento, el enraizamiento o la caída de las hojas.

Se basa en...

- Aportar abono orgánico a la tierra; es decir, hacer una fertilización orgánica para alimentar el suelo, respetando su estructura y fomentando los procesos de transformación natural de la materia orgánica.

- Respetar los ciclos naturales y los ritmos de crecimiento de las plantas adaptadas a las condiciones climáticas y microclimáticas de la zona.
- Aplicar sistemas de asociaciones y rotaciones de cultivos para favorecer la diversidad vegetal y un óptimo aprovechamiento de los recursos nutritivos y del espacio.
- Crear un entorno verde formando setos y pantallas vegetales
- Favorecer las interrelaciones entre los diferentes elementos -vivos y no vivos- que configuran el huerto favoreciendo su funcionamiento como ecosistema.

Para conseguir...

- Mantener una productividad continuada del suelo (la tierra no se agota).
- Nutrir de manera constante y equilibrada las plantas para que crezcan sanas y resistentes.
- No deteriorar el entorno ni introducir sustancias nocivas para los vegetales, que podrían transmitirse a las personas.
- Favorecer la diversidad de especias (biodiversidad) en los cultivos, en las plantas acompañantes (protectoras y útiles) y en la fauna.

UN MOMENTO PARA LA ACCIÓN

A partir de la definición de agricultura ecológica nos podemos plantear algunas preguntas:

- ¿Quienes son los usuarios de los productos químicos?
- ¿Cual es su potencial tóxico para las personas o el medio ambiente?
- ¿Podemos prescindir de ellos y obtener buenas cosechas?
- ¿Cómo van a alimentarse nuestras plantas?

Poco a poco iremos descubriendo las respuestas a éstas y más preguntas, pero para empezar te proponemos una pequeñas acciones:

- Busquemos los productos relacionados con el cuidado de las plantas.
- Leamos bien las etiquetas informativas y detectemos sus posibles efectos tóxicos para las personas y el medio ambiente.
- Planifiquemos cómo dejar de usar estos productos para empezar a utilizar métodos ecológicos (acabamos de gastarlos y ya no compramos más o también podemos llevarlos a un Punto Verde para que se gestione correctamente su eliminación).

Los puntos clave:

¿Cómo es y cómo funciona un huerto ecológico?

CARACTERÍSTICAS Y NECESIDADES	OBJETIVO	MEDIOS
LAS PLANTAS		
Las plantas crecen siguiendo los ritmos naturales.	Potenciar el cultivo de las plantas que mejor se adapten al clima de la zona y microclima del espacio.	Planificar las plantaciones siguiendo un calendario de cultivo adaptado.
Las plantas destinadas a la producción se combinan con otras acompañantes, que mejoran las condiciones ecológicas del espacio y puedan tener funciones protectoras o ser útiles (plantas para preparados fitosanitarios o abono verde).	Favorecer un funcionamiento ecológico del huerto asegurando la presencia de una mayor diversidad vegetal y potenciando las especies y variedades autóctonas.	Practicar la asociación de cultivos. Hacer vallas y barreras verdes creando un entorno natural para nuestro huerto.
Las plantas del huerto tienen diferentes ritmos (ciclos de crecimiento de diferente duración) y necesidades.	Favorecer una agrupación y sucesión de especies adecuada que permita un mejor aprovechamiento del espacio y de los recursos nutritivos del suelo.	Aplicar un sistema de asociación y rotación de cultivos.
En un huerto biológico las plantas gozan de buena salud pero también pueden sufrir trastornos o ser atacadas por algunas plagas y sufrir enfermedades causadas básicamente por hongos.	Favorecer y potenciar las condiciones para que las plantas crezcan sanas y fuertes y sean más resistentes.	Priorizar la prevención, la lucha mecánica (trampas) o manual contra las plagas y practicar tratamientos fitosanitarios naturales: purines fermentados, infusiones, jabón potásico...

CARACTERÍSTICAS Y NECESIDADES	OBJETIVO	MEDIOS
LA TIERRA		
Es un medio que contiene elementos orgánicos e inorgánicos y es el hábitat de multitud de organismos y microorganismos.	Respetar su estructura y organización en capas (horizontes).	Trabajarla con herramientas que la aireen (horca o escarificador) sin voltearla ni pisarla.
Necesita agua, aire y aportaciones orgánicas para poder realizar los procesos vitales de transformación de la materia orgánica.	Mantener y potenciar la vida en la tierra con los organismos i microorganismos propios del suelo.	Hacer una fertilización orgánica, favorecer la aireación (tierra esponjosa) y cubrir las necesidades de agua con riego manual o localizado.
Necesita protección frente a los cambios de temperatura, a la radiación solar intensa, a la acción del viento y a la del agua para evitar la erosión.	Mantener la tierra cubierta, sobre todo cuando no haya cultivo.	Cubrirla con restos orgánicos secos o frescos según los casos (acolchado).
Es necesario que aporte los nutrientes necesarios (sales minerales) que necesitan las plantas de una forma continuada, equilibrada y en cantidad suficiente.	Mantener la fertilidad de la tierra: aportamos materiales orgánicos para que sean transformados por los organismos i se conviertan en nutrientes para las plantas.	Garantizar un aporte regular de fertilizante orgánico (compost o otros abonos orgánicos más concentrados) y practicar el abonado verde.
LA FAUNA		
El huerto biológico actúa como foco de atracción de todo tipo de animales (pájaros, insectos, réptiles, gusanos, pequeños mamíferos ...) porque allí encuentran las condiciones adecuadas para vivir.	Favorecer el establecimiento de relaciones tróficas (unos se alimentan de otros) para una mayor autorregulación de las poblaciones (la fauna útil o auxiliar controla aquella que puede causar daño a las plantas).	Respetar todos los animales y sólo actuar contra aquellos que sabemos que son perjudiciales causando daños a las plantas.

PARA EMPEZAR YA. ¡ASÍ DE FACIL!

Nuestro primer huerto en un día

Tenemos ya algunas ideas claras de lo que va a ser nuestro huerto. Nos llevará un tiempo para planificar e ir realizando las actuaciones correspondientes. Es importante no tener prisa pero sí buscar aquellas acciones que permitan ver los resultados en relativamente poco tiempo.

Te proponemos un plan de acción que, idealmente, debería empezar al comenzar el otoño o bien a principios de primavera.

1. ¿Qué tenemos que comprar y preparar?

Habrá que localizar en nuestro pueblo o ciudad un comercio especializado y conseguir:

- una herramienta para remover la tierra tipo azada, azadilla o binador
- un rastrillo o escoba metálica para allanar la tierra
- 1 o 2 sacos de abono orgánico (compost, humus de lombriz o tierra vegetal con estiércol)
- 1 plantador
- 1 regadera

2. ¿Qué podemos sembrar y plantar?

	SEMILLAS	PLANTEL	BULBOS
OTOÑO	haba, guisante, rábano	lechuga, escarola, cebolla	ajos
PRIMAVERA	judía, calabacín, rábano	lechuga, tomate, pimiento	

También podemos sembrar tagetes (copetes) y capuchina (taco de reina) como plantas protectoras y beneficiosas para nuestros cultivos y plantar algunas aromáticas como romero, tomillo o salvia.

3. Adecuamos una pequeña parcela

- Podemos empezar nuestro huerto con 1 o 2 m², allí veremos como nuestros primeros cultivos van creciendo, obteniendo al cabo de un tiempo nuestros primeros productos. Poco a poco, y en función de nuestras posibilidades, iremos perfilando nuestro proyecto para tener un huerto completo.
- Escogemos un espacio soleado: quizás no será el definitivo pero nos permitirá un aprendizaje e iremos adquiriendo conocimientos y habilidades.

4. Preparamos la tierra:

- Removerla intensamente.
- Quitar las piedras que aparezcan y deshacer los terrones.
- Mezclar a razón de 10 litros de abono por m² de superficie.
- Allanar y repartir una capa de 2 cm de grosor de abono sin remover.
- Delimitar con 4 estacas (pueden ser por ejemplo piquetas que se usan para las tiendas de campaña) y una cuerda.
- Regar intensamente y dejar reposar la tierra un par de horas.

5. Realizamos la siembra o plantación:

parcela otoño 2x1m

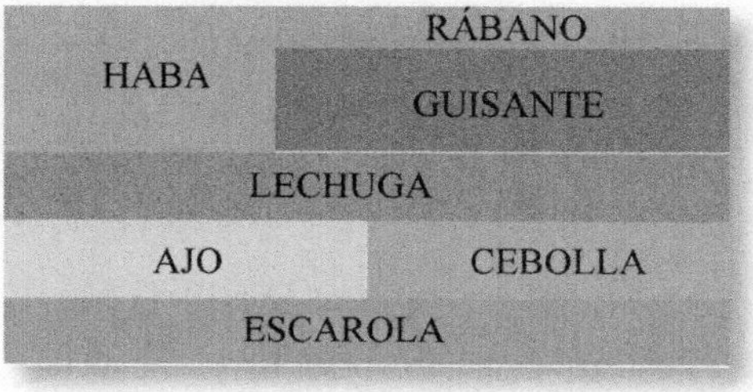

HABA
RÁBANO
GUISANTE
LECHUGA
AJO
CEBOLLA
ESCAROLA

parcela primavera 2x1m

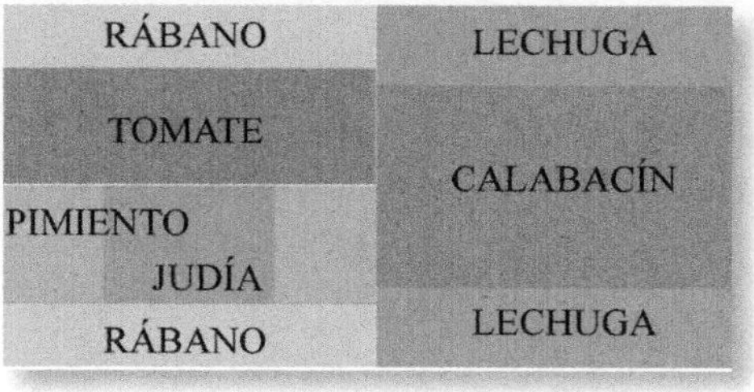

RÁBANO
LECHUGA
TOMATE
CALABACÍN
PIMIENTO
JUDÍA
RÁBANO
LECHUGA

Dónde y cómo instalar el huerto

¿Qué tenemos que saber?

El clima

Uno de los primeros aspectos que tenemos que tener en cuenta son las condiciones ambientales de nuestro espacio. A menudo nos preocupamos de la temperatura, si hace sol o no, nos preguntamos si va a llover en un día determinado, pero siempre en función de nuestro bienestar o necesidad en aquel momento. Todos estos factores climatológicos adquieren especial relevancia desde el momento en que queremos iniciar un cultivo ya que las plantas y su vida dependerán de éstos y otros muchos factores.

Es preciso tener un conocimiento básico de la climatología de la zona donde nos encontremos:

- Temperaturas (máximas y mínimas, y meses en las cuales se producen).
- Temperatura media anual.
- Si hay habitualmente o no heladas y la duración e intensidad de éstas.
- Duración e intensidad de la época calurosa.
- Precipitaciones (periodicidad, litros/año, litro/mes…).
- Vientos (intensidad, frecuencia y dirección).
- Orientación y horas de luz.

También pude ser útil conseguir un diagrama climático o climodiagrama de nuestra zona que nos permita ver cuáles son los meses más favorables o desfavorables para nuestros cultivos para así planificarlos correctamente. Estos diagramas relacionan la temperatura con la pluviometría a lo largo del año pudiendo ver de forma gráfica y rápida la evolución de las condiciones que tendremos en los diferentes meses.

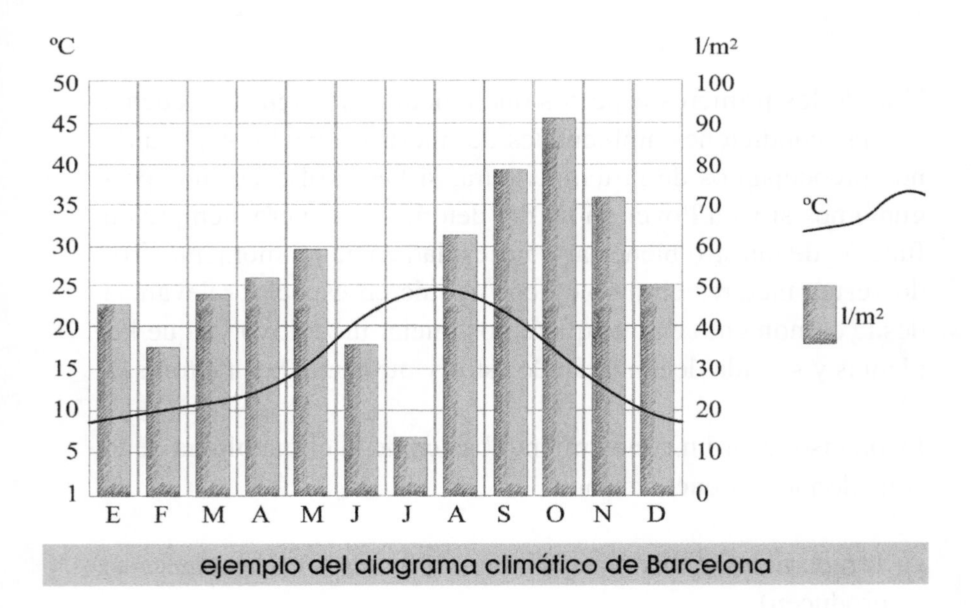

ejemplo del diagrama climático de Barcelona

El clima determinará la organización y planificación de nuestros cultivos y nos permitirà saber cuáles son las épocas del año mas favorables y aquellas en las que se requerirá mayor atención dada la vulnerabilidad de los cultivos frente al calor o frío excesivos.

Podemos encontrar la información sobre el clima de nuestra zona en:

http://www.educaplus.org

Orientación del espacio y condicionantes microclimáticos

Además de las características climáticas generales de nuestra zona, hay que fijarse en las condiciones concretas de nuestro espacio, determinadas por la orientación, la situación y la presencia de elementos artificiales o naturales alrededor: muros, pavimento, árboles frondosos, etc.

La orientación

La orientación es importante y viene condicionada por los elementos construidos de los alrededores, que pueden hacer sombra sobre el espacio o que, al recibir insolación, crean un ambiente más cálido. Elementos orográficos como desniveles acentuados en el terreno que nos privan de unas horas de insolación o grandes árboles que proyectan su sombra sobre el espacio que queremos cultivar también pueden condicionar la planificación del huerto.

La salida y la puesta del sol son una buena referencia. A todos nos han enseñado que el sol sale por el este y se pone por el oeste. Sin embargo sólo lo hace por el punto exacto en los equinoccios, o sea, alrededor del 21 de marzo y del 23 de septiembre y si nos encontramos en terreno llano. El resto del año y rodeados de elementos orográficos, construidos o vegetales, la referencia es sólo aproximada.

Durante el día el sol va desplazándose con más inclinación en invierno y de forma más vertical en verano. Si nos encontramos en el hemisferio norte, el sol a las 12 del mediodía hora solar (habrá que tener en cuenta la diferencia de 1 o 2 horas de la hora oficial respecto a la hora solar) está situado en el sur y si nos encontramos en el hemisferio sur estará situado en el norte. Teniendo en cuenta esta observación una orientación hacia el sur en el hemisferio norte será la que más insolación reciba mientras que en el hemisferio sur será la más sombría y viceversa.

La exposición solar

La duración de la exposición solar condiciona la actividad vegetal: las plantas necesitan de la luz solar para realizar la fotosíntesis y todos sus procesos fisiológicos de crecimiento, floración, fructificación, etc. Esta luz solar no tiene que incidir necesariamente de forma directa sobre las hojas para ser efectiva. Como norma general, nuestras plantas necesitaran por término medio unas seis horas diarias de exposición solar, aunque una buena intensidad de luz sin la incidencia directa también puede ser suficiente. También es importante tener en cuenta la distribución de la luz y evitar zonas donde la luz, aunque sea muy intensa, venga de una dirección muy concreta, ya que esto provocaría que las plantas crecieran de forma desordenada hacia esa dirección.

La temperatura

Otro parámetro que afecta al desarrollo vegetal es la temperatura. En espacios con más exposición solar podremos tener unas condiciones de temperatura bastante favorables en épocas de otoño, invierno y principios de primavera (especialmente en climas más templados), pudiendo tener unas temperaturas al sol de entre 15 y 20 °C, mientras que en pleno verano las condiciones pueden ser más extremas, con temperaturas demasiado elevadas, por lo que es recomendable instalar algún sistema de sombreado (especialmente en espacios rodeados de muros).

En cambio, en orientaciones más sombrías, con menos horas de exposición solar y situándonos en zonas templadas, las épocas mas favorables serán las que van desde mediados de primavera hasta mediados de otoño. Las plantas recibirán suficiente luz para su desarrollo y las temperaturas se mantendrán mas moderadas.

La media idónea para casi todas las plantas ronda entre los 20 y 25 °C, mientras que por debajo de los 10 °C suele producirse una disminución de la actividad y por encima de 35 °C la mayoría de plantas empiezan a sufrir los efectos del calor (marchitamiento de las hojas, intensificación de la transpiración con peligro de deshidratación, etc.). A partir de esta media general cada planta tendrá sus requerimientos específicos y su temporalidad; algunas estarán más adaptadas a resistir el frío y otras crecerán mejor con temperaturas más elevadas.

En el apartado dedicado a la organización de las plantaciones daremos información detallada sobre el calendario de cultivo y orientaremos sobre qué plantas pueden vivir con más o menos exposición solar.

¿Qué superficie necesitamos?

Para instalar nuestro huerto no precisamos una gran superficie: dependerá del espacio disponible o que queramos destinar y del tiempo que le podremos dedicar para mantenerlo.

En un primer momento es mejor comenzar por unos pocos metros cuadrados pero con la previsión y planificación de ampliarlo más adelante. Un huerto de unos 30 m^2 puede ser un buen inicio y, bien gestionado, nos puede proporcionar una buena variedad y cierta cantidad de hortalizas. Con una superficie alrededor de los 50 m^2 la producción ya será considerable, pudiendo contar además con un espacio dedicado al cultivo de aromáticas y alguna otra planta arbustiva o trepadora. Si además del cultivo de hortalizas queremos tener una zona con dos o tres frutales y una zona de descanso con un banco y una mesa, estaríamos hablando por ejemplo de superficies a partir de 80 m^2.

Pasos a seguir

1. Sobre un plano señalamos los posibles espacios disponibles para la ubicación del huerto.
2. Hacemos una ampliación a escala de cada una de las zonas.
3. Sobre el plano de cada espacio, con ayuda de una brújula, marcamos los puntos cardinales para saber la orientación.
4. Hacemos un seguimiento de la insolación que recibe el espacio (preferiblemente en otoño). Marcamos a diferentes horas el espacio iluminado y lo que queda a la sombra.
5. Valoramos los aspectos positivos y negativos de cada situación.
6. Estudiamos la posibilidad de escoger uno o más espacios para

el huerto (por ejemplo, uno puede ser más adecuado durante el otoño y el invierno y el otro, durante la primavera y el verano).

EN ACCIÓN. PREPARANDO NUESTRO VIVERO

Mientras planificamos adecuadamente nuestro espacio podemos avanzar creando nuestro propio vivero o almáciga. De esta forma ya tendremos plantas disponibles cuando el terreno esté acondicionado. Seguiremos los siguientes pasos:

- Preparemos unos envases reutilizados no muy grandes (de yogurt por ejemplo).
- Practiquemos un agujero en el centro de la base.
- Preparemos un sustrato adecuado para la siembra mezclando 2 partes de fibra de coco humedecida, 2 partes de humus de lombriz y 1 parte de arena.
- Podemos empezar practicando con semillas de escarola, col, cebolla o puerro si nos situamos a finales del verano o con lechuga, tomate o apio si lo hacemos hacia finales de invierno.
- Sembraremos unas 3 semillas por envase manteniendo el sustrato siempre húmedo. Las semillas tienen que quedar cubiertas por una capa de unos 0,5 cm de sustrato ligeramente apretado.
- Cuando las plantitas hayan germinado y tengan unos 2 o 3 cm seleccionamos una de ellas y retiramos las otras dos.
- Continuamos regando y las plantas se podrán trasplantar al sitio definitivo cuando tengan unas 5 o 6 hojas y un tamaño entre 5 y 10 centímetros aproximadamente (hay que calcular entre 6 y 8 semanas dependiendo de las especies y las condiciones).

¡Importante! Habrá que situar los semilleros a la sombra cuando haga calor y al sol cuando haga frío. Si la temperatura desciende por debajo de los 10ºC los colocaremos bajo pequeños invernaderos hechos con envases de plástico reutilizados.

Más información en la página 147.

Delimitación de las parcelas de cultivo y de las zonas de paso

La parte más importante en la preparación de nuestro espacio es la de fijar los límites de los espacios de plantación definiendo al mismo tiempo las zonas dedicadas al tránsito de personas y desde dónde se trabajarán los espacios cultivados.

El diseño que proponemos se basa en delimitar zonas de cultivo muy estrechas y rectangulares con el fin de poder trabajar en el huerto sin pisar directamente la tierra donde crecen las plantas; de esta forma protegemos la tierra al máximo favoreciendo su fertilidad y, al mismo tiempo, quedan perfectamente definidas las zonas de paso y los espacios donde se puede pisar.

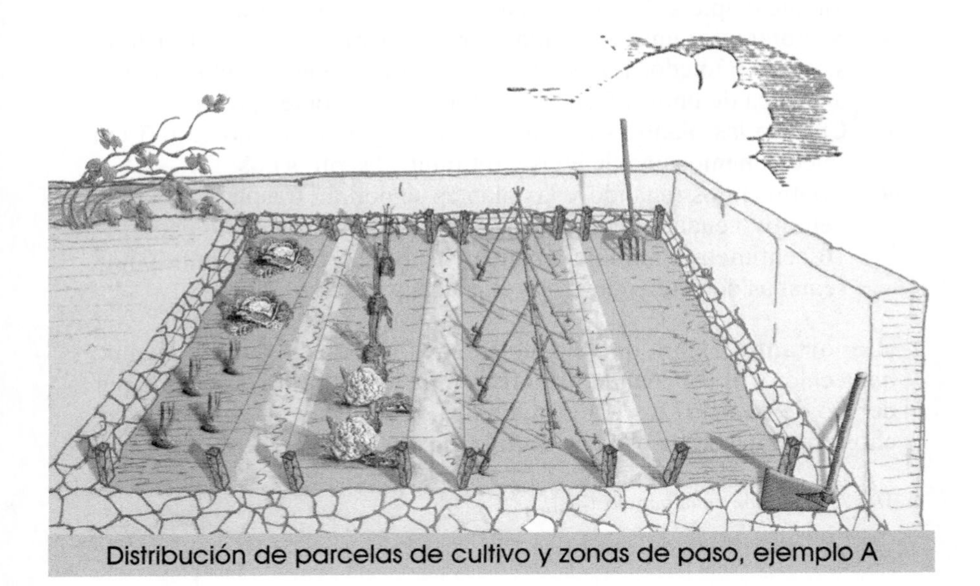

Distribución de parcelas de cultivo y zonas de paso, ejemplo A

Seguiremos los siguientes pasos:

- Preparamos la tierra removiéndola hasta una profundidad de unos 20 cm utilizando cualquier herramienta a nuestro alcance (azada, pico, laya...) o bien con un motocultor. Este trabajo intenso sobre la tierra sólo habrá que realizarlo al principio.
- Con un rastrillo recogemos las piedras, desharemos los terrones que hayan quedado y allanaremos.
- Marcaremos y delimitaremos las parcelas de cultivo según la planificación y distribución del espacio que hayamos decidido. Los espacios de cultivo o bancales no excederán los 70 cm de anchura, serán de superficie llana (para favorecer la persistencia de una capa de compost en superficie, mantener la tierra mullida y facilitar la permeabilidad del suelo) y cada parcela puede ser simple o doble. En el caso de parcelas con

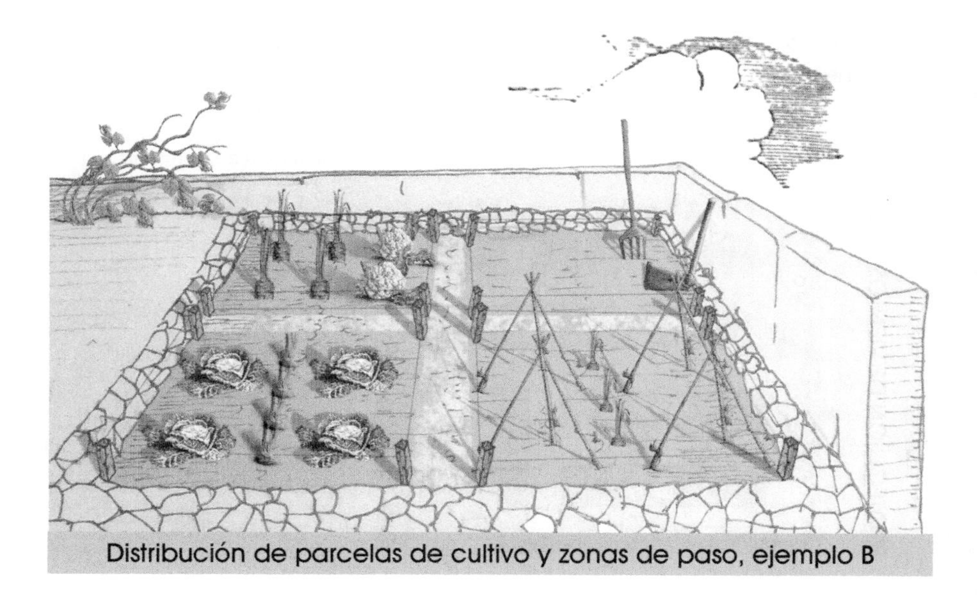

Distribución de parcelas de cultivo y zonas de paso, ejemplo B dos franjas de cultivo, el espacio entre ambos será de unos 30 o 40 cm. Una forma sencilla y económica de delimitar las parcelas de cultivo es mediante estacas metálicas o de madera tratada y una cuerda atada entre ellas.

- Entre cada una de las parcelas se dejará un espacio de unos 60 cm de ancho que será zona de paso habitual para moverse y trabajar en el huerto. Estas zonas de paso se cubren frecuentemente con un acolchado de paja o de restos vegetales secos (hojas, ramillas, restos de poda...) siempre con el fin de proteger la tierra y favorecer su fertilidad.
- En el caso de las parcelas con dos bancales de cultivo se suelen colocar entre ambos unas plataformas de barro o madera, alineados y a unos 60 cm de distancia entre ellos, sobre los cuales nos podremos situar y que nos permitirán trabajar en el interior de las parcelas. Este sistema garantiza un mejor estado de la tierra evitando su compactación.

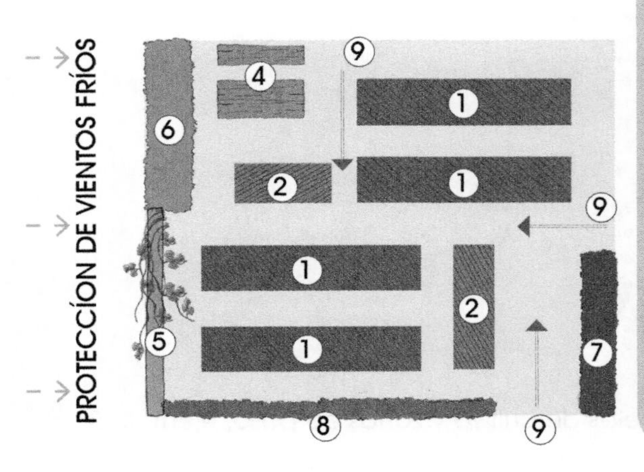

①: parcela de cultivo de plantas hortícolas de ciclo anual

②: parcela de cultivo de plantas hortícolas vivaces o destinadas a experimentación

③: árbol frutal

④: mesa de trabajo y descanso

⑤: parterre con trepadoras

⑥: parterre con seto alto

⑦: parterre con seto bajo

⑧: parterre de plantas medicinales o de flores de temporada

⑨: accesos y zonas preferentes de paso

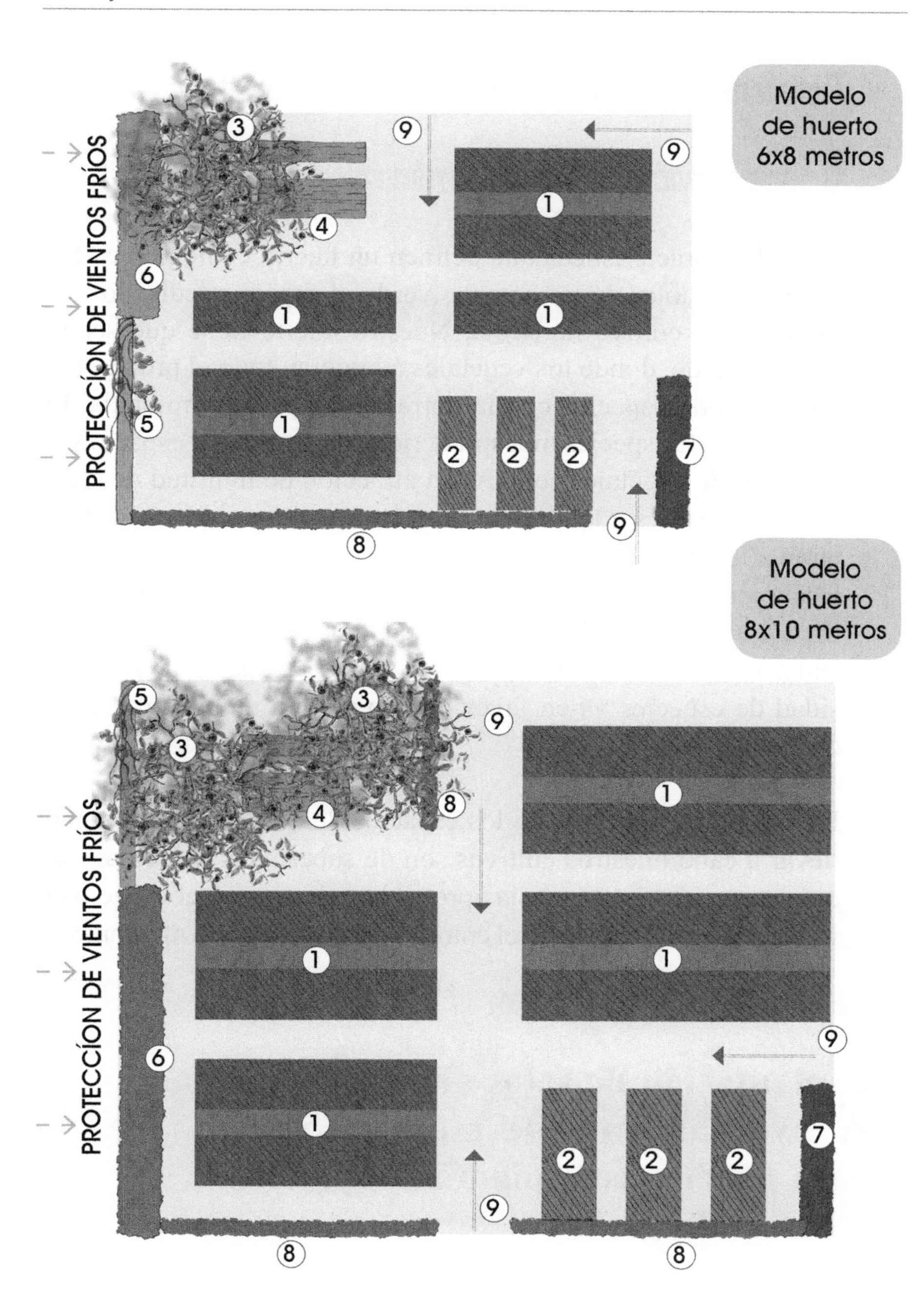
Modelo
de huerto
6x8 metros
PROTECCÍON DE VIENTOS FRÍOS
Modelo
de huerto
8x10 metros
PROTECCÍON DE VIENTOS FRÍOS

Actuaciones de acondicionamiento del espacio

El entorno verde: setos y pantallas vegetales

Entre las características que definen un huerto ecológico está la referente a dotar de un entorno verde al espacio dedicado propiamente al cultivo hortícola. Nuestro huerto tiene que ser un espacio verde, donde los vegetales adquieran todo el protagonismo, evitando espacios con la tierra desnuda y desprotegida. La diversidad de especies muestra la riqueza natural del espacio y la variedad de vegetales conlleva la atracción de multitud de organismos animales adquiriendo unas características que se asemejarán a los de un ecosistema natural.
El aumento de la riqueza biológica que fomentamos en los huertos adquiere especial importancia en aquellas zonas más urbanizadas donde cualquier acción encaminada a aumentar la diversidad de especies va en favor de una mejora ambiental y de la calidad de vida.

En muchos casos, cuando los espacios de que disponemos para llevar a cabo nuestros cultivos son de superficies reducidas, adquiere especial importancia aprovechar al máximo el espacio en vertical para implementar el entorno verde del huerto mediante

la plantación de setos arbustivos o el aprovechamiento de muros y vallas para hacer crecer plantas trepadoras y enredaderas.

Beneficios que obtenemos de un entorno verde

- Mejora de las condiciones microclimáticas: protege del viento, hace de regulador natural de la temperatura, sobre todo en verano (las plantas transpiran y aumenta la humedad ambiental refrescando el ambiente) y modera las diferencias de temperatura entre el día y la noche.

- Limita la erosión hídrica: la plantación de arbustos en zonas inclinadas ayuda a controlar la pérdida de suelo por acción de la lluvia.

- Regula la absorción y retención del agua de lluvia en el suelo ayudando a una mejor distribución y aprovechamiento de ésta.

- Hace de barrera acústica y visual si el entorno no es muy agradable a la vista (naturalizan el espacio).

- Contribuye al equilibrio ecológico. Dota el espacio de un aspecto más natural, actuando de foco de atracción de insectos, pájaros, pequeños mamíferos y contribuyendo a formar corredores biológicos y refugios de fauna auxiliar consiguiendo un mejor control de las plagas y enfermedades.

LAS VALLAS: OTRA MANERA DE DELIMITAR EL ESPACIO

Las vallas son estructuras verticales, hechas de madera o elementos vegetales, que podemos situar en el perímetro de nuestro huerto y que pueden complementar estructuras como muros o cercados metálicos ya existentes.

Su instalación persigue diferentes finalidades:

- Hacer de barrera o separación entre dos espacios: permiten incrementar la altura de una baranda metálica o de un muro o cubrir una red metálica dotándola de un aspecto más natural.
- Servir de soporte a plantas trepadoras o enredaderas (lianas).
- Proteger muros orientados al sur y que reciben una fuerte insolación. De esta manera controlamos las temperaturas demasiado elevadas en aquellas zonas de veranos más calurosos. Para este fin, el uso de plantas trepadoras leñosas de hoja caduca son especialmente interesantes ya que en invierno la incidencia de la luz solar directamente sobre el muro mejora las condiciones térmicas y en verano impide el sobrecalentamiento ya que las hojas cubren la pared.

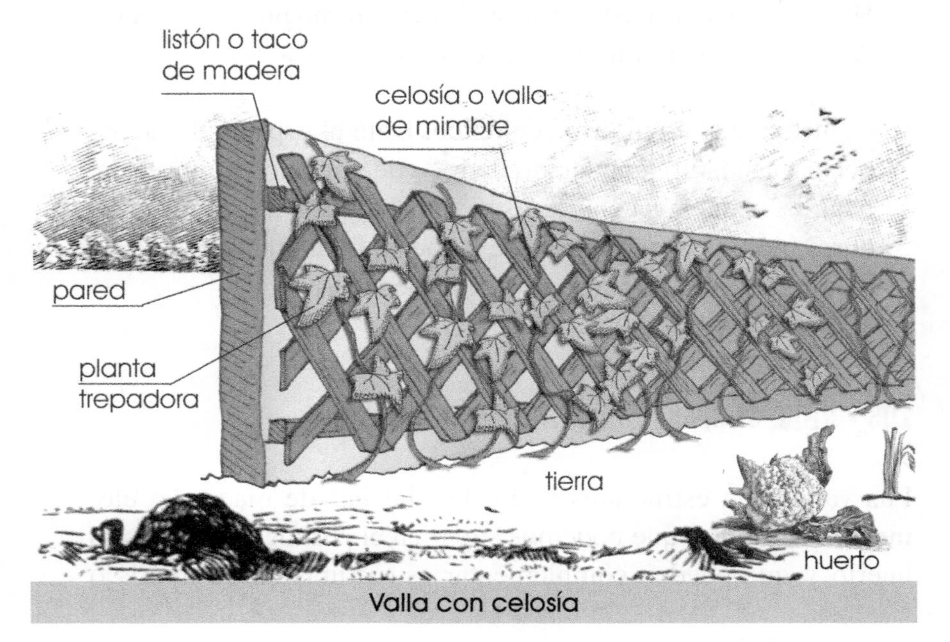

Valla con celosía

Materiales adecuados para hacer vallas

Celosía: consisten en unos enrejados de madera o de plástico. Son muy tradicionales y se usan muy frecuentemente en los jardines. Conviene colocarlas separadas del muro mediante unos listones de madera, de forma que la pared quede protegida y permita un mejor crecimiento de plantas trepadoras.

Brezo: la valla está formada por muchas ramas secas de brezo (arbustos de diferentes especies del género *Erica* muy ramificados y con tallos delgados) unidas con alambre. Son de las más utilizadas, pero al tener poca consistencia normalmente se colocan sobre una estructura rígida tipo barandilla o red metálica.

Mimbre: hecha con las ramas de un arbusto de la familia de las Salicáceas llamado mimbre (*Salix purpurea*). Está formada por los troncos de esta planta, que son largos y rectos y de un color marrón rojizo. Su consistencia también permite colocarlas en el muro mediante unos listones de madera.

Valla de jardín: hecha con listones de madera y de poca altura. Útil para delimitar espacios y también permite el crecimiento de plantas trepadoras.

Las lianas

Son aquellas plantas anuales, vivaces o leñosas cuyo tallo no les permite erguirse por ellas mismas y necesitan de otra planta o soporte para apoyarse y crecer. Según el sistema u órganos utilizados para tal fin podemos clasificarlas en:

Tallo voluble

Volubles: aquellas que no tienen órganos especiales para agarrarse sino que es el mismo tallo que, creciendo en espiral, les permite trepar. Son de este tipo la madreselva o el jazmín común. Son ideales para hacerlas crecer junto a rejas, barandillas o celosías.

Zarzillo

Con zarzillos: órganos filamentosos que salen del tallo y que las plantas utilizan para fijarse a un soporte. Las más comunes son: la vid, la pasiflora, la viña virgen (que además de zarcillos dispone de unas pequeñas ventosas), el guisante de olor, etc. Son ideales para rejas, barandillas, celosías o vallas de mimbre.

Raíces caulinares

Con raíces caulinares: del tallo salen pequeñas raicillas especializadas en agarrarse con fuerza a un soporte. Las más típicas son la hiedra y la bignonia. Se agarran a cualquier soporte sea liso o no.

Enredadera: nos referimos a aquellas que no han desarrollado ningún órgano específico pero que debido a la abundancia de ramificación, en todas direcciones, y a la longitud de éstas, se van enredando con lo que encuentran a su alrededor.

Estas plantas las tenemos que ir orientando y fijándolas si queremos potenciar su crecimiento en vertical. Si las dejamos crecer libremente tendrán un porte semirastrero. Algunos ejemplos son la buganvilla, el jazmín azul y el jazmín amarillo. Pueden servir para celosías, barandillas, rejas, etc.

Enredadera

Vallas arbustivas

Las vallas arbustivas, en forma de setos, son barreras vegetales de arbustos que delimitan todo o una parte del recinto del huerto. Se trata de plantaciones de arbustos más o menos alineados, junto a un muro o delimitando parcelas de cultivo, en que se combinan diferentes especies:

- de diferente porte y altura
- de hoja perenne y caduca
- con diferente época de floración

La selección de especies se hará en función de la zona donde nos encontremos y potenciando la presencia de plantas autóctonas o bien adaptadas a las condiciones climáticas.

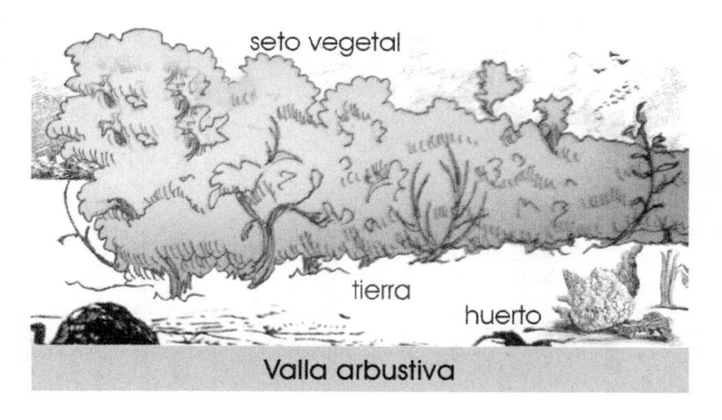

Valla arbustiva

✿: La floración no destaca por su vistosidad — ❄: No tolera menos de 5 ºC — ❄❄: Puede resistir hasta 0 ºC

❄❄❄: Tolera heladas hasta -5 ºC — ❄❄❄❄: Tolera heladas hasta -15 ºC

NOMBRE CIENTÍFICO	NOMBRE POPULAR	TIPO DE HOJA	RESISTENCIA AL FRÍO	EPOCA DE FLORACIÓN	TAMAÑO	REQUERIMIENTO DE LUZ	
						Sol	Sombra
Artemisia arborescens	AJENJO	Perenne	❄❄	Invierno-Otoño	Mediano	✓	
Aucuba japonica	CUBANA	Perenne	❄❄❄	Primavera ✿	Pequeño		✓
Berberis sp.	AGRACEJO	Perenne	❄❄❄❄	Primavera	Mediano	✓	✓
Buddeleja davidii		Caduca	❄❄❄❄	Verano-Otoño	Mediano	✓	✓
Buxus sempervirens	BOJ	Perenne	❄❄❄❄	Primavera ✿	Pequeño	✓	✓
Callistemon rigidus		Perenne	❄❄❄	Verano	Pequeño	✓	
Cistus sp.	JARA	Perenne	❄❄❄	Verano	Pequeño	✓	
Coronilla valent. ssp. glauca	CORONILLA	Perenne	❄❄❄	Primavera	Pequeño	✓	
Cotoneaster sp.		Perenne	❄❄❄❄	Verano	Mediano	✓	✓
Corylus avellana	AVELLANO	Caduca	❄❄❄❄	Invierno ✿	Grande	✓	✓
Erica sp.	BREZO	Perenne	❄❄❄❄	Primavera	Pequeño	✓	
Escallonia sp.		Perenne	❄❄❄	Verano	Mediano	✓	
Euonymus sp.	BONETERO	Perenne	❄❄❄❄	Primavera	Mediano	✓	
Euryops sp.		Perenne	❄	Verano-Otoño	Pequeño	✓	
Fatsia japonica	ARALIA	Perenne	❄❄	Otoño ✿	Mediano		✓
Forsythia sp.		Caduca	❄❄❄❄	Invierno	Pequeño	✓	✓
Hibiscus rosa-sinensis		Perenne	❄	Verano	Mediano	✓	
Hibiscus syriacus		Caduca	❄❄❄❄	Verano-Otoño	Mediano	✓	✓
Ilex aquifolium	ACEBO	Perenne	❄❄❄❄	Primavera ✿	Mediano	✓	✓

ARBUSTOS PARA EL ENTORNO VERDE O FORMAR VALLAS

Lagerstroemia índica	ARBOL DE JÚPITER	Caduca	❄❄	Verano-Otoño	Grande	✓	✓
Laurus nobilis	LAUREL	Perenne	❄❄❄	Primavera	Grande	✓	
Lantana sp.		Perenne	❄	Prim.-Ver.-Otoño	Mediano	✓	
Lavandula sp.	LAVANDA	Perenne	❄❄❄	Primavera	Pequeño	✓	
Lippia citriodora	HIERBA LUISA	Caduca	❄❄❄	Verano	Mediano	✓	✓
Medicago arborea		Perenne	❄	Invierno-Primavera	Mediano	✓	
Myoporum sp.		Perenne	❄	Verano	Mediano	✓	
Myrtus communis	MIRTO	Perenne	❄❄❄	Primavera	Pequeño	✓	
Philadelphus coronarius	CELINDA	Caduca	❄❄❄❄	Invierno-Primavera	Mediano	✓	✓
Pistacea lentiscus	LENTISCO	Perenne	❄❄	Primavera ✿	Mediano	✓	
Portulacaria afra		Perenne	❄	Verano ✿	Pequeño	✓	
Prunus laurocerasus		Perenne	❄❄❄❄	Primavera	Mediano	✓	✓
Pyracantha sp	ESPINO DE FUEGO	Perenne	❄❄❄❄	Verano	Mediano	✓	
Rhamnus alaternus	ALADIERNO	Perenne	❄❄❄	Verano ✿	Grande	✓	✓
Ruscus acul. / hipoglossum	RUSCO	Perenne	❄❄❄	Primavera ✿	Pequeño		✓
Ruta graveolens	RUDA	Perenne	❄❄❄❄	Verano	Pequeño	✓	✓
Salvia officinalis	SALVIA	Perenne	❄❄❄	Verano	Pequeño	✓	
Sambucus nigra	SAÚCO	Caduca	❄❄❄❄	Primavera-Verano	Grande	✓	✓
Santolina chaecyparissus	ABRÓTANO HEMBRA	Perenne	❄❄❄	Verano	Pequeño	✓	
Spartium junceum	RETAMA	Perenne	❄❄❄	Verano	Mediano	✓	
Spiraea sp.		Caduca	❄❄❄❄	Verano	Mediano	✓	✓
Syringa vulgaris	LILA	Caduca	❄❄❄❄	Verano	Grande	✓	✓
Tamarix africana	TARAY	Caduca	❄❄❄❄	Invierno-Primavera	Grande	✓	
Viburnum tinus	DURILLO	Perenne	❄❄❄	Otoño-Inv.-Prim.	Mediano	✓	✓

✿: La floración no destaca por su vistosidad | ❄: No tolera menos de 5 °C | ❄❄: Puede resistir hasta 0 °C

❄❄❄: Tolera heladas hasta -5 °C | ❄❄❄❄: Tolera heladas hasta -15 °C

I : Invierno | P : Primavera | V : Verano | O : Otoño

C.C.: capacidad de crecimiento

NOMBRE CIENTÍFICO	NOMBRE POPULAR	TIPO	TIPO DE HOJA	RESISTENCIA AL FRÍO	EPOCA DE FLORACIÓN	C.C.	REQUERIMIENTO DE LUZ	
							Sol	Sombra
Bougainvillea glabra		Enredadera	Semiperenne	❄	V	Baja	✓	
Campsis sp.		Raices	Caduca	❄❄❄	V-O	Alta	✓	✓
Ipomea tricolor		Voluble	Planta anual	❄❄	V-O	Alta	✓	✓
Jasminum mesnyi	JAZMIN AMARILLO	Enredadera	Semiperenne	❄❄	P	Mediana	✓	
Jasminum officinale	JAZMIN COMÚN	Voluble	Semiperenne	❄❄❄❄	V-O	Mediana	✓	✓
Lathyrus odoratus	GUISANTE DE OLOR	Con zarcillos	Planta anual	❄❄❄❄	V-O	Mediana	✓	
Lonicera implexa	MADRESELVA	Voluble	Perenne	❄❄❄	V-O	Mediana	✓	✓
Pasiflora sp.	PASIONARIA	Con zarcillos	Perenne	❄	V-O	Alta	✓	
Parthenocissus quinquefolia	VIÑA VIRGEN	Con zarcillos y ventosas	Caduca	❄❄❄❄	P ✿	Alta	✓	✓
Plumbago auriculata	JAZMÍN AZUL	Enredadera	Perenne	❄	V-O-I	Mediana	✓	
Solanum jasminoides		Enredadera	Semiperenne	❄❄	V-O	Mediana	✓	
Wisteria sinensis	GLICINA	Voluble	Caduca	❄❄❄❄	P-V	Muy alta	✓	✓

FORMAS DE REPRODUCCIÓN DE ARBUSTOS Y LIANAS

SV: Esquejes semileñosos en verano - **TV**: Esquejes tiernos en verano - **LI**: Esquejes leñosos en invierno

NOMBRE CIENTÍFICO	NOMBRE POPULAR	SV	TV	LI	OTRAS
ARBUSTOS					
Artemisia arborescens	AJENJO	✓	✓		
Aucuba japonica	CUBANA	✓			
Berberis sp.	AGRACEJO		✓		
Buddeleja davidii		✓		✓	
Buxus sempervirens	BOJ	✓			
Callistemon rigidus		✓			
Cistus sp.	JARA		✓		Semilla
Coronilla valentina ssp. glauca	CORONILLA		✓		
Cotoneaster sp.		✓			
Corylus avellana	AVELLANO			✓	Acodo
Erica sp.	BREZO		✓		
Escallonia sp.			✓		
Euonymus sp.	BONETERO	✓			
Euryops sp.			✓		
Fatsia japonica	ARALIA	✓			
Forsythia sp.			✓	✓	
Hibiscus rosa-sinensis		✓	✓		
Hibiscus syriacus				✓	
Ilex aquifolium	ACEBO	✓			
Lagerstroemia índica	ARBOL DE JÚPITER	✓			Semilla
Laurus nobilis	LAUREL	✓	✓		
Lantana sp.		✓		✓	
Lavandula sp.	LAVANDA	✓			
Lippia citriodora	HIERBA LUISA		✓	✓	
Medicago arborea		✓			
Myoporum sp.		✓			
Myrtus communis	MIRTO	✓			

NOMBRE CIENTÍFICO	NOMBRE POPULAR	SV	TV	LI	OTRAS
Philadelphus coronarius	CELINDA		✓	✓	
Pistacea lentiscus	LENTISCO	✓			
Portulacaria afra			✓		
Prunus laurocerasus		✓			
Pyracantha sp	ESPINO DE FUEGO	✓			
Rhamnus alaternus	ALADIERNO	✓			Semilla
Ruscus aculeatus/hipoglossum	RUSCO				Divis. mata
Ruta graveolens	RUDA	✓			Semilla
Salvia officinalis	SALVIA		✓		
Sambucus nigra	SAÚCO			✓	
Santolina chaecyparissus	ABRÓTANO HEMBRA		✓		
Spartium junceum	RETAMA				Semilla
Spiraea sp.			✓		
Syringa vulgaris	LILA			✓	
Tamarix africana	TARAY			✓	
Viburnum tinus	DURILLO	✓			
LIANAS					
Bougainvillea glabra		✓		✓	
Campsis sp.		✓		✓	Acodo
Ipomea tricolor					Semilla
Jasminum mesnyi	JAZMIN AMARILLO	✓			
Jasminum officinale	JAZMIN COMÚN	✓			
Lathyrus odoratus	GUISANTE DE OLOR				Semilla
Lonicera implexa	MADRESELVA	✓			
Pasiflora sp.	PASIONARIA	✓			Semilla
Parthenocissus quinquefolia	VIÑA VIRGEN		✓	✓	
Plumbago auriculata	JAZMÍN AZUL	✓			
Solanum jasminoides		✓			
Wisteria sinensis	GLICINA			✓	Acodo

Cómo adecuar un terreno inclinado

Muchas veces no se dispone de un espacio lo suficientemente llano y nivelado para situar las parcelas de cultivo y tenemos que aprovechar terrenos inclinados que se tendrán que adecuar para facilitar el cultivo. También hay que considerar que aquellas partes que destinamos a las plantas acompañantes que definen el entorno verde del huerto se pueden dejar con la inclinación propia del terreno dando un aspecto más natural a nuestro espacio.
El adecuado tratamiento de estas zonas con desnivel permite controlar el riesgo de erosión y es clave para evitar problemas en el futuro.

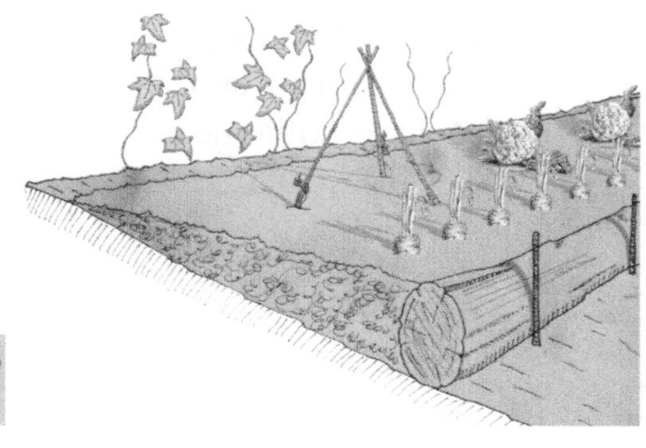

Adecuación terreno inclinado con tronco

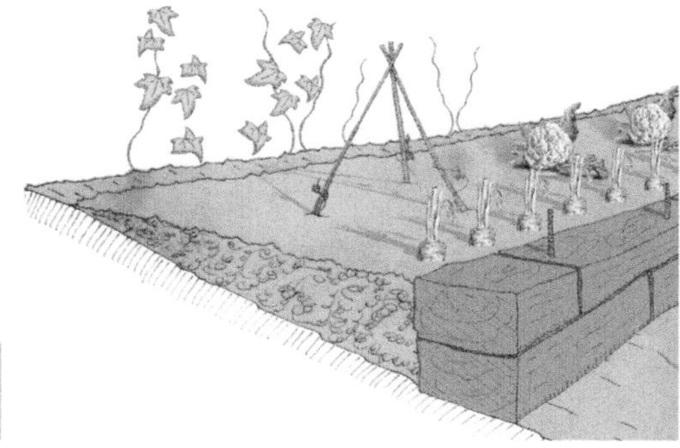

Adecuación terreno inclinado con maderos

¿Qué actuaciones podemos llevar a cabo para organizar una zona inclinada?

- Estudiar las posibilidades que nos ofrece el espacio observando las zonas con distintos grados de inclinación.
- Escoger aquellas zonas con un grado de inclinación menor para adecuarlas como parcelas de cultivo hortícola y las de mayor pendiente para plantar arbustos (entorno verde).
- Corregir la pendiente en la zona donde se cultivará el huerto preparando un sistema que nos permita la contención de la tierra. Podemos utilizar troncos de árboles que hundiremos en parte en la tierra y que irán sujetos por una varilla metálica de acero; o bien utilizando tablones de madera tratada (son fáciles de encontrar en establecimientos dedicados a la jardinería y al bricolaje) que podréis apilar para hacer muros de contención más elevados. También se aconseja una sujeción mediante varillas de acero.

EN ACCIÓN

Planifiquemos adecuadamente las plantaciones de este entorno verde teniendo en cuenta:

- Superficie a plantar.
- Disponibilidad de paredes o estructuras verticales para las trepadoras.
- Actuaciones a realizar (delimitación de parterres, estructuras para las lianas, etc.).
- Hacer un listado de posibles especies para plantar teniendo en cuenta sus características básicas (tamaño, forma, hoja caduca o perenne, de sol o de sombra, etc.).
- Planificar la plantación sobre papel.

Herramientas y utensilios para el trabajo en el huerto

Herramientas básicas

Azadilla

Azadilla y binador: de uso menos frecuente que en un huerto convencional pueden utilizarse para pequeñas actuaciones con el fin de airear la tierra o eliminar hierbas que crecen entre nuestros cultivos. La de lámina mas ancha sirve también para la acción de escardar o binar, es decir, mullir la capa mas superficial del suelo cuando ésta está endurecida.

Binador

Rastrillo: sirve para allanar la tierra antes de iniciar el cultivo y permite retirar piedras u otros elementos cuyo tamaño dificulte la plantación.

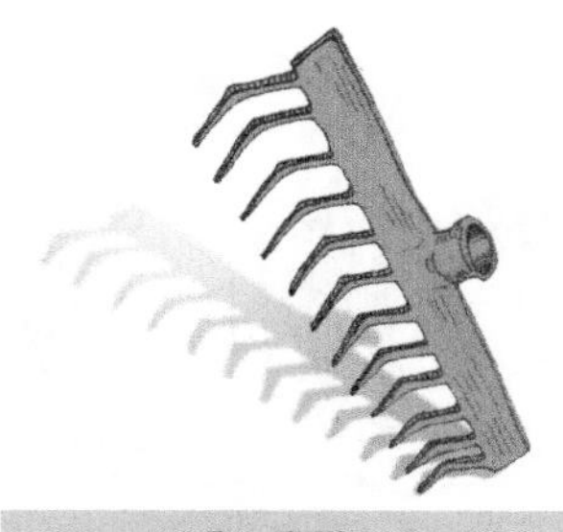
Rastrillo

Pala de trasplante: es una pala pequeña que se coge con una mano y sirve para remover pequeñas cantidades de tierra y para hacer pequeños hoyos para hacer el trasplante. También se puede utilizar como una pequeña laya para descompactar suelos endurecidos.

Pala de transplante

Horca

Horca, cultivador o escarificador: son aperos destinados a la aireación de la tierra sin voltearla y constan de un mango y una parte inferior con púas, rectas o curvas. Las hay de diferentes formas y tamaños.

Horca doble

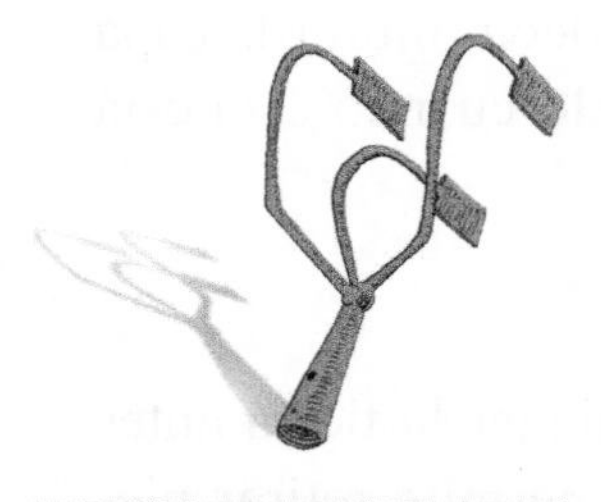

Cultivador

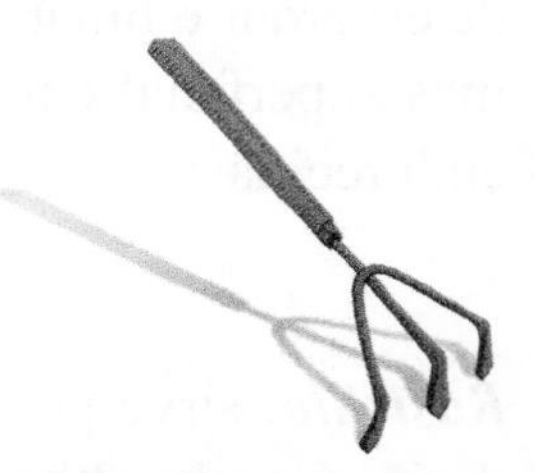

Escarificador

Proceso de aireación de la tierra con una horca

Plantador: es una herramienta en forma de "L" con la punta cónica que sirve para hacer el agujero para sembrar o plantar una planta pequeña para hacer, por ejemplo, el primer trasplante.

Escoba metálica: normalmente se utiliza para recoger hojas, pero también nos puede ser útil para aplanar la tierra o repartir el compost. Podemos encontrar también versiones de pequeño tamaño para trabajos más cuidadosos.

Tijeras de podar: han de ser de buena calidad para hacer los cortes limpios y precisos. Si sólo tenemos que podar arbustos, que tienen ramas de diámetro pequeño, las escogeremos de hoja estrecha y fina.

Plantador — Escoba metálica — Tijeras de podar

Utensilios

Tamiz

Tamiz: para tamizar la tierra y separar pequeñas piedras que puedan dificultar el cultivo. La tierra tamizada será útil para llenar recipientes para la siembra o para plantar esquejes. También lo utilizaremos para tamizar el compost cuando vaciemos el compostador.

Fumigadora

Fumigadora: para hacer tratamientos fitosanitarios o reforzantes. Según nuestras necesidades y la superficie de nuestro huerto podremos escoger desde un simple pulverizador como los que tenemos habitualmente en casa o un fumigador con sistema de bombeo mediante un émbolo que permite dar mayor presión al líquido pulverizado y hacer los tratamientos de forma más eficaz.

Sensor de humedad

Sensor de humedad para la tierra: pequeño aparato que se clava a la tierra y de forma instantánea nos indica el nivel de humedad del suelo. Es muy útil para poder definir las necesidades de agua y planificar el riego de nuestros cultivos.

Maquinaria y otros

Trituradora de ramas: estas máquinas permiten la trituración de todo tipo de restos vegetales y son especialmente adecuadas para trocear ramas de árboles y arbustos de hasta 3 o 4 cm de diámetro. Esto permite aprovechar los restos del huerto y el jardín para hacer compost o como material de acolchado. Las hay de diferentes modelos i precios según nuestras necesidades.

Trituradora

Tutor: caña o estaca que se clava al pie de una planta para mantenerla derecha en su crecimiento. Útil para aguantar y guiar las plantas cuando son jóvenes, dirigir un pequeño árbol que se ha torcido, ofrecer soporte a plantas trepadoras (judías, guisantes...) o atar las tomateras. Las cañas se utilizan comúnmente para este fin; si son de bambú, duran más. Hay que ir con cuidado a la hora de atar la planta para no estrangular el tallo.

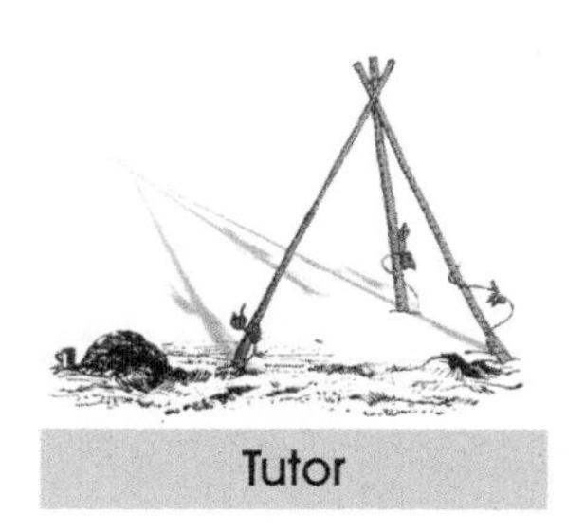
Tutor

Malla sombreadora: es un tejido de plástico negro, verde o gris que deja pasar la luz filtrada, evita el exceso de insolación, y mantiene una buena ventilación. Es muy adecuado para espacios rodeados por muros que sean extremadamente cálidos en verano quedando así las plantas protegidas de la exposición a los rayos del sol en las horas del mediodía.

Malla sombreadora

La tierra

La tierra en la naturaleza

El funcionamiento del suelo en un ecosistema

La tierra es el pilar sobre el que se sustenta el huerto ecológico y de ella depende en gran parte que nuestros cultivos estén sanos y sean productivos. Es por este motivo que debemos prestar especial atención a todo lo referente a este tema y, siguiendo en nuestro empeño de aproximarnos a las reglas que nos marca la naturaleza, conocer sus mecanismos de funcionamiento y regulación.

Si damos una vuelta por el bosque podremos observar diferentes ambientes, definidos por condiciones microclimáticas particulares determinadas por el grado de insolación (solana/umbría), el grado de humedad y la temperatura. También observaremos diferentes tipos de suelos: más rocosos, pedregosos y arenosos o más profundos con tierra oscura y una capa superficial que la cubre llena de residuos básicamente vegetales (hojas, ramillas, restos de frutos y semillas) pero también con algunos restos de animales (plumas, partes de esqueletos, mudas, excrementos ...). Es en estas zonas donde el suelo está bien formado, donde hay más fertilidad, es decir, dónde el suelo es más productivo y permite el desarrollo de abundante vegetación (árboles, arbustos y hierbas). Las plantas crecen sanas y resistentes, brotan con fuerza, florecen y fructifican. Del suelo sacan todo lo que necesitan: agua y sales minerales (los nutrientes), las raíces crecen y se ramifican sin ninguna dificultad, la presencia de oxígeno garantiza la respiración de éstas y facilita la presencia de una gran diversidad de vida. Esta fertilidad se genera y mantiene de manera natural: es un suelo donde no se ha hecho ningún tipo de intervención, no se ha removido la tierra, no se han aportado fertilizantes externos y funciona a la perfección, es autosuficiente y se retroalimenta constantemente.

¿SABÍAS QUE...?

El suelo tiene vida y ésta **beneficia la fertilidad.**

Podemos prestar un poco de atención, por ejemplo, al suelo de un bosque. Observemos con detalle removiendo a diferentes profundidades. Podremos contemplar varios tipos de organismos perfectamente adaptados a las singulares condiciones que les ofrece la tierra.
Algunos se ven a simple vista, otros requerirán de una lupa un poco potente para poder observarlos; unos viven a nivel más superficial entre los residuos orgánicos, y otros a más profundidad como las lombrices de tierra.

¿Qué pasa dentro de la tierra? ¿Cuáles son los mecanismos que hacen que haya unos altos niveles de fertilidad? ¿Cómo disponen las plantas de estas extraordinarias condiciones?
Analizando la composición de una tierra vemos que sus componentes básicos son dos.

La parte mineral: consta de partículas de diferente medida procedentes de una roca madre que ha sufrido durante miles de años un proceso de disgregación a causa de procesos de meteorización a los cuales se le añade la acción constante y metódica de los organismos vivos (animales y plantas).

La parte orgánica: tiene su origen en la aportación superficial de todos aquellos restos que hemos mencionado antes. Desde del momento en que un residuo orgánico se deposita sobre el suelo, empieza un largo proceso de transformaciones sucesivas que, pasando primero por la formación de humus, acaba convertido en sales minerales en el proceso llamado mineralización de la materia orgánica.

La descomposición de la materia orgánica

El proceso de descomposición empieza cuando toda una multitud de organismos macroscópicos (se ven a simple vista) mastican y comen los restos orgánicos muertos. Hacen un trabajo disgregador: los desmenuzan, parte de éstos son digeridos y otros quedan troceados. Estos organismos son invertebrados y entre ellos encontramos crustáceos, miriápodos, gusanos y pequeños insectos.

Los restos orgánicos continúan su degradación a medida que entran en actividad los microorganismos descomponedores (hongos y bacterias), que los transforman hasta formar en primer lugar un producto de color marrón oscuro, casi negro, que recibe el nombre de humus.

La misma acción de los microorganismos ya libera elementos y compuestos minerales que son directamente asimilables por las plantas (los nutrientes); por otra parte, el humus que se está formando iniciará un lento proceso de transformación que acabará con su mineralización, proporcionando más nutrientes minerales a las plantas. Todos estos procesos se desarrollan de forma lenta pero continua garantizando así un ciclo autosuficiente y en constante retroalimentación.

El humus estructura el suelo

La materia orgánica en forma de humus dota al suelo de unas propiedades extraordinarias ayudando en la unión de partículas minerales para formar agregados y mejorando la capacidad de retención del agua al mismo tiempo que se aumenta la capacidad de retener y ofrecer a las raíces de las plantas los nutrientes que necesitan.

Una tierra rica en humus tiene una apariencia esponjosa y se desmenuza fácilmente.

No se apelmaza y la aireación está siempre garantizada permitiendo a las raíces ramificarse para tener un mejor acceso a los nutrientes y a los organismos del suelo moverse fácilmente contribuyendo también a aumentar la esponjosidad de la tierra y acceder mejor a su alimento.
En este proceso la tierra adquiere un alto nivel de fertilidad y, además, es capaz de autoregenerarse si las aportaciones orgánicas continuan.

En el siguiente esquema podemos observar que la tierra se estructura en capas (llamadas horizontes del suelo) permitiendo la formación de una capa muy fértil donde el humus ha penetrado y se ha combinado con las partículas minerales procedentes de la roca madre. Esta capa de fertilidad favorece un gran desarrollo de las raíces permitiendo una adecuada aireación y retención del agua.

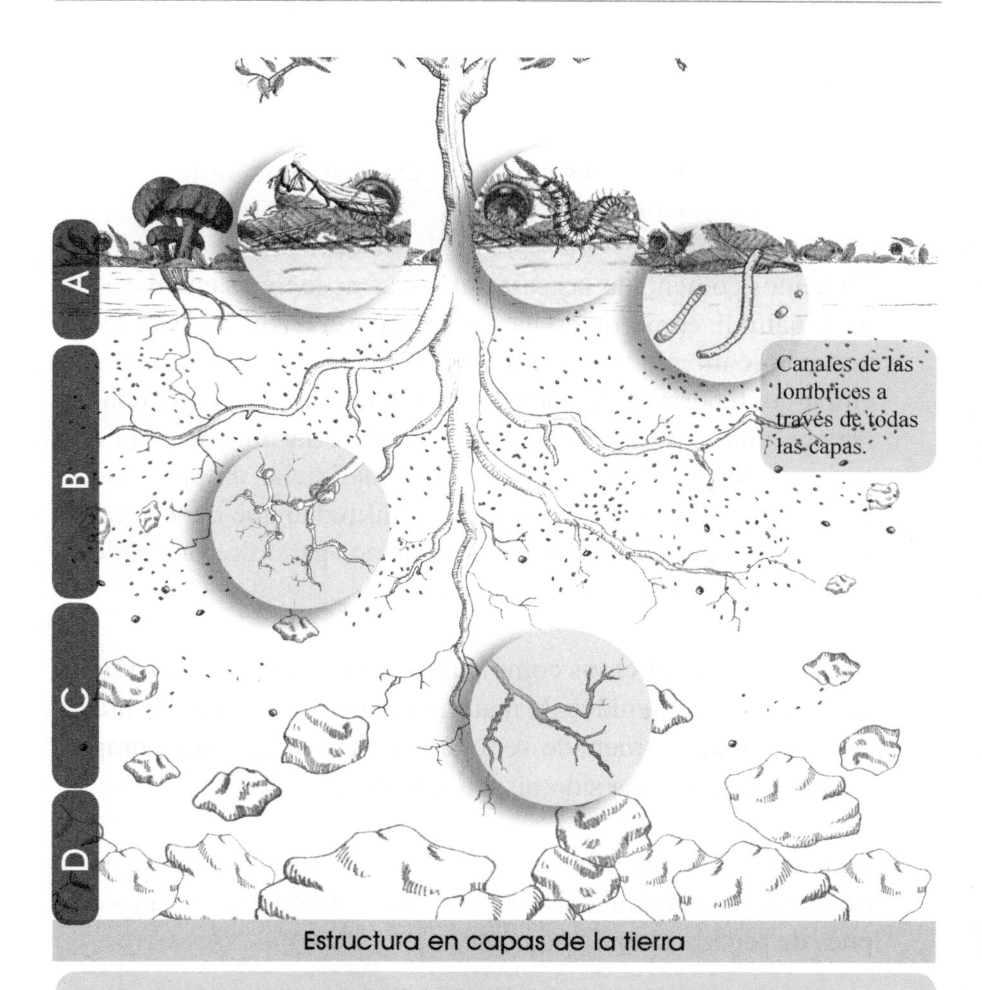

Estructura en capas de la tierra

A: 5 cm. Cubierta del suelo, alcochado (foliaje y otros restos). Capa de descomposición (bacterias, hongos, microorganismos).

B: 20-30 cm. Capa de formación de humus (microorganismos, bacterias, fijadoras de nitrógeno, algas, micorrizas). Espacio radicular principal.

C: 250 cm. Capa mineral (roca erosionada, reserva de agua). Liberación de nutrientes propios del suelo.

D: Roca madre (roca no erosionada, roca sólida). Reserva de nutrientes según el subsuelo.

La tierra en el huerto

¿Cómo podemos saber cómo es? ¿Qué le hace falta? ¿Cómo la tenemos que preparar?

Ya hemos comentado las características de la tierra en un ecosistema natural, cómo funciona y cómo aporta fertilidad para facilitar un crecimiento y desarrollo vegetal adecuados. Nosotros, sin embargo, tendremos un punto de partida muy diferente: una tierra con unas características que pueden variar mucho según los casos. A partir de esta base tenemos que iniciar un proceso que permita llegar a un punto de cierta similitud al que tiene lugar en los suelos naturales más fértiles y que nos garantice una adecuada productividad de nuestro huerto.

La tierra que tendremos como punto de partida será básicamente mineral, con contenidos de materia orgánica muy bajos o prácticamente nulos. A menudo será también una tierra muy compactada debido a que ha sido pisada frecuentemente.

Podemos tener una primera percepción de la naturaleza de nuestra tierra observándola cuando llueve con cierta intensidad o después de regarla abundantemente:

- En el caso de suelos arenosos, a medida que va cayendo el agua, ésta se va infiltrando y desaparece rápidamente: la tierra tienen un buen drenaje y también buena capacidad de aireación. Sin embargo adolecerá de una falta de capacidad de retención de agua y por sí sola no será apta para el cultivo. A menudo esta situación se da en jardines o patios adyacentes a nuestras casas ya que se les ha aplicado una capa superficial de arena para evitar encharcamientos y la formación de barro.

- Si observamos lo contrario, es decir, que el agua no se infiltra y permanece en la superficie formando charcos, es que la tierra es arcillosa, con tendencia a compactarse y con muy poca capacidad de aireación. Eso dificultará de entrada el crecimiento de las plantas.

También podemos tener una percepción de la naturaleza de nuestra tierra de la siguiente forma: cogemos un puñado de tierra, lo humedecemos poco a poco hasta hacer una masa espesa e intentamos moldearla formando un cilindro con las manos. Si en el intento la masa se nos desmenuza rápidamente será indicativo de que estamos frente a una tierra muy arenosa. Por el contrario, cuanto más podamos moldear la masa y más estrecho pueda ser el cilindro, más arcillosa será la tierra.

Una vez realizadas estas observaciones, habrá que hacer un sondeo. Ayudados de una herramienta tipo azada, pala o pico iremos profundizando hasta unos 30 o 40 cm y observando la tierra.

Qué nos podemos encontrar y cómo actuar

Caso 1: que haya una capa de arena superficial (5 -10 cm) y debajo una tierra más arcillosa que ha servido para asentar el terreno. Este caso se da a menudo en espacios tipo patio o jardín (los constructores suelen prepararlo así). Es una situación idónea como punto de partida. Para adecuar la tierra para el cultivo hay que remover intensamente estas dos capas hasta obtener una mezcla homogénea de la arcilla y la arena y conseguir de esta forma un buen comportamiento respecto a la capacidad de aireación y a la de retener agua.

Caso 2: la capa de arena es más gruesa y la tierra más arcillosa se encuentra a más profundidad. Entonces, para ir bien, tendríamos que profundizar más a la hora de remover la tierra y conseguir mezclar la capa más arcillosa con la arena.

Caso 3: la arena es muy escasa y la tierra es básicamente arcillosa. Entonces sería recomendable añadir arena; la podríais comprar en gran cantidad en una casa especializada en la preparación de tierras o también en comercios donde venden material de construcción. La dosis podría ser de unos 50 litros por metro cuadrado.

El proceso de preparación de la tierra suele ser costoso y requiere un cierto esfuerzo, por lo cual es conveniente evitar que la tierra se vuelva a compactar. Para ello es recomendable haber planificado correctamente el espacio, definiendo claramente las zonas destinadas al cultivo y aquellas que serán de paso frecuente o paso más ocasional. Una vez removida la tierra, y antes de aplicar la enmienda orgánica, habrán de quedar delimitadas las zonas de cultivo para evitar ser pisadas.

La enmienda orgánica

Una vez preparada la parte mineral de la tierra, hay que dotarla de la fracción orgánica. Normalmente nos referimos a la enmienda orgánica en el sentido de proporcionar a la tierra aquello que le falta.

Esta materia se aplica en forma de compost (abono orgánico) a razón de 10 litros por metro cuadrado, que se mezcla con los primeros 20 cm de tierra, y una aplicación superficial en forma de capa de 2 cm (20 litros más por metro cuadrado). La tierra ya se encuentra preparada para poder plantar y empezar a estructurarse como si fuera un suelo natural. Para favorecer y garantizar este proceso, hace falta que nadie la pueda pisar y mantenerla con un grado de humedad constante.

Cuando se hace este proceso de preparación, y hasta que llega el momento de plantar o sembrar, es conveniente hacer un mantenimiento de la tierra. No hay que olvidar que la tierra está activa y esta actividad aumenta al añadirle la materia orgánica rica en humus. Por este motivo regaremos la tierra auque no haya cultivo y, siempre que podamos, la mantendremos cubierta con algún tipo de acolchado. Aplicaremos estas premisas siempre que nuestra tierra esté libre de cultivos.

EN ACCIÓN

Cultivo en recipiente

Cada vez es más habitual hacer pequeños huertos cultivando en recipientes. Éstos pueden ser desde los más convencionales, como los tiestos y jardineras que tenemos en nuestro balcón o terraza, otros que se han diseñado específicamente para cultivos hortícolas (en forma de mesas de cultivo imitando pequeñas parcelas), u otros recipientes improvisados como cajas de fruta de plástico forradas con un tejido especial, llamado geotextil, que venden en tiendas especializadas en temas de riego.

En estos casos será muy importante utilizar una tierra adecuada y bien fertilizada para tener éxito en nuestros cultivos.

Como base para llenar estos recipientes utilizaremos tierra de la denominada «de exterior», que consta de una parte mineral, compuesta de arcilla y arena, a la que se le añade compost en una proporción del 40 o 50%. Debido a la gran variedad de tierras que se comercializan bajo este nombre, os recomendamos aquellas que sólo contienen productos naturales sin añadidos químicos.

También se consiguen buenos resultados en recipientes de poca profundidad (de unos 20 o 25 cm) con una mezcla a partes iguales de fibra de coco humedecida y humus de lombriz.

En general se recomienda cubrir la base del recipiente con una capa de material de drenaje, siendo especialmente recomendable la arcilla expandida, también llamada arlita, por su bajo peso y su porosidad, contribuyendo al mismo tiempo al drenaje y al mantenimiento de la humedad de la tierra.

La fertilización orgánica

El concepto de fertilización en la agricultura ecológica es considerablemente diferente del que se tiene en la agricultura o jardinería convencional. Ésta no tiene como única finalidad el suministro de nutrientes para las plantas, sino también promover unas condiciones en la tierra que favorezcan una mejor retención de agua, un adecuado drenaje, un mantenimiento de la aireación, una adecuada disponibilidad constante de nutrientes y facilitar que las raíces crezcan ramificándose desarrollando multitud de raicillas altamente eficientes para absorber agua y nutrientes.

Cuando hacemos una aportación orgánica a la tierra no estamos alimentando directamente a las plantas, sino que estamos manteniendo y potenciando los sistemas de transformación de la materia orgánica, facilitando su transformación en humus y su posterior mineralización.

No hay que olvidar, sin embargo, que nosotros queremos un sistema productivo y que tenemos que tener en cuenta que las plantas hortícolas tienen que hacer su ciclo de vida total o parcial en pocos meses, al cabo de los cuales habrán tenido que dar un producto para nuestro consumo. Con esto queremos decir que la fertilización de la tierra tiene que poder satisfacer la demanda de las plantas hortícolas, mucho mayor en algunos casos que la mayoría de las plantas de jardín o las que crecen espontáneamente en el bosque o en un prado.

En un huerto aportamos abono orgánico porque así ya tenemos hecha toda la primera etapa de la transformación: el humus ya ha empezado a mineralizar y lo seguirá haciendo. Una fertilización orgánica bien hecha supone una continuidad en el suministro de nutrientes para las plantas; entonces éstas presentan unos ritmos regulares de crecimiento haciéndolas más sanas y resistentes a sufrir ataques de plagas o enfermedades. Por contra, un abonado con nutrientes químicos puede suponer desequilibrios en la disponibilidad de los nutrientes y que las plantas tengan períodos de crecimiento extraordinario y otros en los cuales el crecimiento sea escaso. Eso se traduce en una mayor debilidad y una mayor sensibilidad frente a los ataques de las plagas y las enfermedades.

¿Cada cuánto hay que abonar la tierra? ¿En qué cantidades?

Las plantas tienen diferentes necesidades nutritivas y éstas se tienen que satisfacer; por lo tanto, hay que hacer una previsión para asegurar que la tierra no presente un déficit de nutrientes. La manera de aportar el abono a la tierra puede variar dependiendo del sistema de organización de los cultivos, de cómo distribuimos las plantas, si aplicamos un sistema de rotación y asociación, etc.

Es importante realizar, con las herramientas descritas anteriormente, una buena aireación de la tierra antes de abonar, y mantener la premisa de que hay que airear sin voltear ni alterar excesivamente la estructura de la tierra.

Como mínimo haremos una aportación anual de compost para mantener la base fértil de la tierra. Éste se aplica normalmente a finales del verano, aprovechando el final del ciclo de las plantas de la época estival, en una dosis aproximada de entre 10 a 15 litros por metro cuadrado (esto supone esparcir una capa de 1 a 1,5 cm de grosos sobre la tierra). No es necesario remover la tierra una vez repartido el abono orgánico.

Productos fertilizantes

Compost: producto resultante de un proceso de compostaje de residuos vegetales y animales de origen doméstico o procedentes de trabajos de jardinería o agrícolas. Se aplica directamente sobre el suelo. Es un abono orgánico que mantiene unas condiciones óptimas del suelo de cultivo y es rico en humus que, al mineralizar, va liberando nutrientes asimilables por las plantas. Desde el punto de vista nutritivo es de acción lenta pero continuada.

Humus de lombriz: con este nombre se denomina el compost hecho mediante el proceso de vermicompostaje. Es un producto orgánico de gran calidad, de textura fina y de más rápida acción nutritiva para las plantas. Normalmente se aplica combinado con el compost convencional.

Abono orgánico: con este nombre se comercializan productos de diferente composición pero que suelen contener compost de origen vegetal enriquecido con estiércol de vacuno o de caballo. El estiércol hace que sea un producto más rico en compuestos nitrogenados que favorecen un crecimiento más rápido de las plantas

Abonos orgánicos concentrados: se comercializan diferentes productos hechos con restos de animales (harinas de pescado, asta y pezuñas de ganado desmenuzadas, estiércol de gallina, etc.), con extractos vegetales fermentados u otros productos orgánicos. Se presentan en formatos sólidos y líquidos. Tienen una acción a medio o corto plazo y permiten reforzar la nutrición de aquellas plantas que son más exigentes. Se recomienda comprobar que en las etiquetas del producto se especifique su composición y que estén autorizados para su uso en agricultura ecológica.

El acolchado

Esta práctica consiste en el cubrimiento de la tierra con una capa de material orgánico o inorgánico con una finalidad protectora. Es habitual referirse a esta técnica utilizando la palabra inglesa *mulching*, que viene de *mulch* que significa «lecho protector».

Cuando esta capa está hecha con materiales orgánicos, el efecto es similar al mantillo natural que hay en los bosques, obteniendo un efecto beneficioso que detallamos a continuación:

- Evita la pérdida de agua en superficie por evaporación, se conserva mejor la humedad y se reduce el gasto de agua de riego.
- Suaviza la temperatura del suelo: en invierno lo aumenta y en verano la disminuye. Como se conserva mejor la temperatura, se favorece una actividad más constante y homogénea. Evita la incidencia directa de la radiación ultravioleta del sol, que podría destruir compuestos orgánicos y afectar a los procesos de transformación de éstos.
- Evita la compactación del suelo.
- Disminuye la acción del viento, que podría secar la tierra en poco tiempo.
- Limita el crecimiento de hierbas no deseadas. Las semillas quedan a una cierta profundidad y al germinar no llegan a ver la luz; entonces el crecimiento no prospera y la hierba muere.
- Su descomposición va enriqueciendo el suelo de humus y nutrientes.

También se considera acolchado el que se realiza con materiales no orgánicos como la arcilla expandida, la roca volcánica o grava. En estos casos las propiedades quedan reducidas al control de las hierbas no deseadas y reducción de las pérdidas de agua por evaporación.

El acolchado en la zona de cultivo hortícola tiene que ser fácil de extender y recoger cuando sea necesario con el fin de facilitar las tareas de preparación y abonado de la tierra, siembra o plantación. Es por este motivo que normalmente se utiliza la paja de cereales.

Características y aplicación de los diferentes materiales destinados al acolchado

MATERIALES	GROSOR DE LA CAPA	APLICACIÓN	REPOSICIÓN	OBSERVACIONES
Restos de poda triturada, virutas de madera, tapones de corcho	3-5 cm	En plantaciones de arbustos y árboles	Anual	Capacidad de descomponerse: baja.
Hojas y hierba seca desmenuzada	3-5 cm	En plantaciones de arbustos y árboles	Cada 6 meses	Capacidad de descomponerse: media. Se puede y suele mezclar con los restos de poda
Hierba fresca, restos de césped cortado, restos frescos de verduras y hortalizas	1 cm	Parcelas de cultivo hortícola con plantas de alta exigencia nutritiva y en árboles frutales	Antes de iniciar un nuevo cultivo o en otoño para los frutales.	Capacidad de descomponerse: alta. Aplicar superficialmente, dejarlo en superficie durante unos 10 días y remover ligeramente con un rastrillo. Esperar 15 días más antes de plantar.
Paja de cereales	2-3 cm	Zonas de paso, zonas de cultivo hortícola.	Cuando sea necesario	Capacidad de descomponerse: muy baja. La zonas de paso protegidas con un acolchado permiten conservar mejor las propiedades del suelo del cultivo contiguo
Grava o bolitas de arcilla expandida (Arlita)	2-3 cm	Parterres de cactus y plantas crasas, zonas de paso	No es necesario	Capacidad de descomponerse: nula. Es ideal para evitar los efectos del exceso de humedad en la base del tallo, muy perjudicial para este tipo de plantas.

El abono verde

Se trata de llevar a cabo un cultivo que no tiene una finalidad productiva sino una función fertilizante. Para este tipo de cultivo se utilizan plantas de crecimiento rápido (normalmente leguminosas) y, justo en el momento en que inician la floración, se cortan. Hay que destacar que, cuando el vegetal se prepara para florecer, es un momento de elevada actividad metabólica y riqueza de compuestos y nutrientes máximas; por lo tanto, será el período idóneo para que éste sirva de fertilizante.

El proceso que hay que realizar es el siguiente:

1. Siembra. Esta siembra se realiza normalmente a finales de primavera o principios de verano para favorecer un crecimiento más rápido de las plantas. En zonas de clima templado estas siembras se pueden realizar también en cualquier época del año. La parcela que destinamos al abono verde estará preparada para el cultivo al cabo de unos 3 o 4 meses por lo cual hay que hacer una previsión a la hora de planificar los cultivos.

Las especies más fáciles de cultivar son habas y guisantes (sembraremos unos 25 gr de semilla por m2) o trébol de prado (2 gr de semilla por m2). El trébol de prado (*Trifolium sp.*) es una leguminosa de tamaño pequeño que se vende como semilla de césped o para hacer praderas; normalmente se encuentra con facilidad en tiendas especializadas y da buen resultado si es regado con frecuencia.

2. Crecimiento y floración. Regar las plantas con frecuencia para favorecer su rápido desarrollo hasta el inicio de la floración.

3. Siega. Segar las plantas y, si es posible, triturarlas. Es importante no arrancar las plantas de raíz sino cortarlas por la base del tallo a ras de tierra. De esta forma las raices se descomponen en el interior del suelo contribuyendo así también a su fertilización y su aireación por los huecos que dejan.

4. Marchitamiento sobre el suelo. Dejar las plantas trituradas sobre la tierra en forma de capa (como si fuera un acolchado) para que se marchiten, entre 3 y 5 días en épocas cálida y entre 10 y 15 días en épocas más frías.

5. Incorporación a la tierra. Mezclar las plantas cortadas con la capa más superficial de la tierra (5-10 cm) utilizando un rastrillo y sin profundizar mucho.

Las ventajas que presentan las leguminosas para esta técnica de fertilización son diversas:

- Necesitan pocos nutrientes y crecen bien en suelos que ya están bastante agotados.
- Tienen un crecimiento rápido.
- Desarrollan un tipo de raíz, llamada fasciculada, poco profunda pero muy ramificada en pequeñas raíces. Éstas, una vez cortada la planta, se descomponen rápidamente en el interior de la tierra, aireándola y aportando elementos nutritivos.
- Las leguminosas favorecen la presencia y la proliferación de la flora microbiana del suelo encargada de degradar y mineralizar la materia orgánica. Por lo tanto, las plantas mejoran la asimilación de los elementos nutritivos del suelo.
- Las raíces establecen una simbiosis con unas bacterias especiales llamadas fijadoras de nitrógeno o nitrificantes. Se agrupan y se enganchan a las raíces con la particularidad de que

transforman el nitrógeno atmosférico en compuestos nitrogenados que la planta asimila rápidamente. No hay que olvidar que los compuestos de nitrógeno, junto con los de fósforo y potasio, son los principales nutrientes para los vegetales.

- Su rápida descomposición, una vez han sido mezcladas con la tierra, hace que la presencia de nutrientes disponibles aumente y permita el desarrollo del plantas hortícolas con grandes necesidades nutritivas *(ver página 172)*.

El compost

El reciclaje de los residuos orgánicos

Los restos orgánicos producidos en un ecosistema natural (por ejemplo un bosque) son reciclados *in situ* mediante los procesos de descomposición y se transforman primero en humus y posteriormente en sales minerales; de esta manera aportan los nutrientes que los vegetales necesitan, el ciclo se cierra y lo hacen autosuficiente.

Por otra parte, en los ecosistemas urbanos, es decir en pueblos y ciudades, los residuos orgánicos producidos por la actividad diaria se acumulan en grandes cantidades (aproximadamente el 35% en peso de nuestros desperdicios domésticos está formado por materia orgánica) y hay que gestionarlos correctamente en plantas especializadas en el tratamiento de los residuos para obtener compost. En el peor de los casos, estos residuos podrían ir a parar a vertederos controlados o ser quemados en incineradoras; estos tratamientos implican una pérdida de estos valiosos recursos e impiden la valorización en forma de materia orgánica útil para ser devuelta a la tierra.

El proceso que sigue la materia orgánica para su recuperación se llama compostaje. Se trata de la descomposición aeróbica (con presencia de aire) mediante microorganismos y organismos invertebrados, llamados descomponedores, que hacen los mismos procesos que se producen en la capa superficial del suelo de un bosque, pero de una manera controlada, acelerada y concentrada. De esta manera, imitamos a la naturaleza devolviendo al suelo los materiales orgánicos, garantizado así la fertilidad de éste.

Este proceso, que se puede hacer a gran escala en instalaciones municipales específicas (plantas de compostaje) o a escala particular o colectiva (escuela, comunidad de vecinos, entidades asociativas...), da como resultado el compost, que servirá como fertilizante y que permite mejorar la estructura de suelos para el cultivo hortícola, la jardinería o recuperar suelos erosionados o degradados. La aportación del compost mantiene el suelo esponjoso y aireado, mejora la retención de agua, aporta nutrientes (recordamos que la materia orgánica al final del proceso de descomposición mineraliza) y hace que éstos se asimilen mejor.

Se soluciona, de esta manera, el problema de la excesiva producción de residuos y al mismo tiempo se recuperan suelos pobres en nutrientes y se reduce el uso de fertilizantes químicos.

La selección y separación de la materia orgánica en origen es fundamental para su recuperación y transformación en compost.

Principios básicos

Siguiendo el ejemplo de la naturaleza, nosotros también podemos llevar a cabo este proceso de una manera controlada, concentrada y acelerada. Mientras que en un suelo natural se realiza de manera lenta pero continuada, en los agrícolas, en cambio, hace falta mantener y regenerar esta capa orgánica rica en humus para asegurar así la nutrición correcta de las plantas. Hay que tener en cuenta que nosotros exigimos a nuestra tierra un mayor rendimiento de lo que puede dar un bosque, por ejemplo.

Para llevar a cabo el compostaje, tendremos que buscar las condiciones más adecuadas para favorecer la actividad de los organismos y, especialmente, la actividad microbiana.

Los microorganismos (hongos y bacterias) tienen un papel clave en la formación del humus y en la capacidad de actuar sobre dos de los componentes básicos de los vegetales: la lignina y la celulosa, presentes en las paredes de las células vegetales. Cuanta más lignina y celulosa hay, más humificación y, por lo tanto, más formación de humus.

Estos compuestos de los vegetales son ricos en carbono y están presentes tanto en la materia fresca (como por ejemplo, restos de fruta y verdura, hierba...) como en la materia seca (restos de poda, ramillas...). Además, los microorganismos necesitan materia con compuestos ricos en nitrógeno y otros elementos como el fósforo y el potasio; estos compuestos se encuentran en mayor cantidad en la materia orgánica fresca vegetal y en la de origen animal (estiércol y restos de carne y pescado).

A fin de que el proceso funcione correctamente hay que proporcionar las condiciones óptimas para la actividad de lo organismos mencionados: aire, agua (humedad) y temperatura adecuada.

Aire: el aire, y en concreto el oxígeno que contiene, permite la respiración de los organismos descomponedores y, por lo tanto, la obtención de energía para hacer sus procesos. Si éste escasea o se dificulta su circulación, se inician procesos de fermentación anaeróbica de los restos orgánicos, con lo cual se generará amoníaco, ácido sulfhídrico y metano. La fermentación anaeróbica no es el proceso que estábamos persiguiendo al hacer compostaje: produce malos olores y el producto que obtendríamos no sería adecuado como fertilizante. Por eso es muy importante una mezcla y disposición correctas de los materiales que hay que compostar que, junto con el recipiente adecuado, permitirá la circulación de aire en el proceso.

Agua: los microorganismos necesitan humedad para realizar su actividad, por lo que se hace necesario procurar que la materia que se está compostando esté siempre húmeda pero no empapada. La regaremos ligeramente para mantener los niveles óptimos de humedad, sobre todo con vistas al verano, en que habrá más pérdidas por evaporación.

Temperatura adecuada: la misma actividad microbiana genera calor a causa de los procesos de obtención de energía por parte de los microorganismos. Es importante que este calor se conserve dentro del compostador para acelerar la descomposición. La energía que necesitan los microorganismos, lo aporta el carbono en forma de moléculas orgánicas que, al romperse, desprenden gran cantidad de energía. La proporción de carbono es mayor en la celulosa y en la lignina y está presente en mayores cantidades en los residuos vegetales secos.

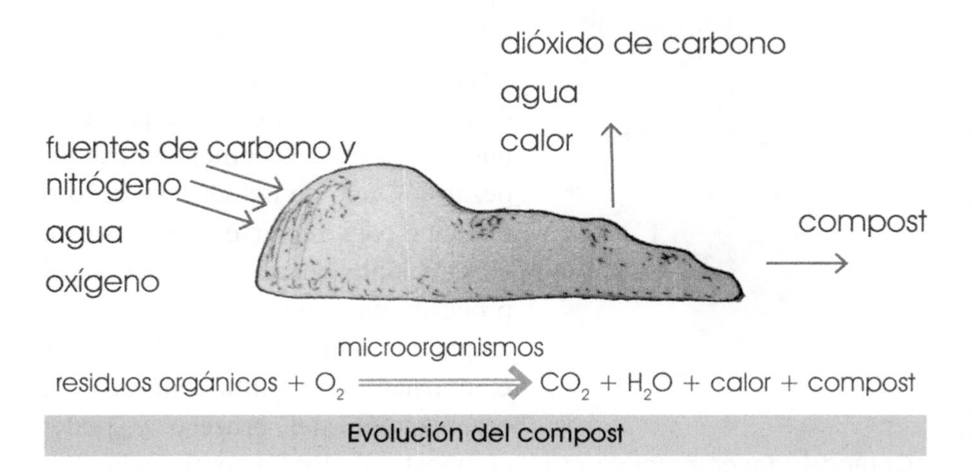

Evolución del compost

Modelos de compostadores

Para hacer el compostaje doméstico, recomendamos disponer de un recipiente adecuado y descartar el compostaje en pila, que es el que se hace amontonando los materiales orgánicos sin estar contenidos en ningún recipiente, ya que a parte de que se necesita mucho más espacio, hay que disponer de abundantes residuos para montar la pila de golpe e iniciar el proceso correctamente.

Tipos de compostadores:

1. Compostador de plástico comercializado

Compostador comercializado

Son recipientes específicamente pensados para realizar el compostaje a pequeña escala y de los cuales disponemos de una variada oferta en comercios dedicados a la jardinería y el bricolaje o también se pueden adquirir por internet. Se venden en función de su volumen y los hay a partir de unos 300 litros. Recomendamos empezar con uno de tamaño pequeño o mediano para iniciarse en el proceso; más adelante, cuando ya tengamos el proceso más controlado, podremos adquirir uno mayor. Tener dos o más compostadores facilita a menudo la organización del proceso y poder compostar de forma continuada.

Estos compostadores tienen una altura aproximada de unos 80-100 cm, con unas aberturas en forma de agujeros situados lateralmente. Normalmente no tienen base, están pensados para ser colocados directamente sobre la tierra, y disponen de una tapa. El hecho de que sean de plástico facilita que la temperatura aumente y se mantenga, al mismo tiempo que permiten la aireación del interior mediante las perforaciones laterales. Hay algunos modelos con base, que tienen los agujeros de aireación en ésta, y que serían idóneos para ser colocados sobre pavimento (patios o terrazas).

2. Compostador de plástico casero

Podemos aprovechar cualquier recipiente de plástico y adecuarlo como compostador. Nos supondrá un ahorro importante y es muy sencillo teniendo en cuenta los siguientes aspectos:

- El recipiente tiene que tener un volumen mínimo de unos 250 litros (se pueden adecuar los cubos que se utilizan para la recogida de residuos en grandes espacios). Por ejemplo un recipiente de 60 cm de diámetro y 100 cm de altura tiene una capacidad aproximada de unos 280 l. Si el plástico es de cierto grosor mejor, ya que será más resistente y conservará mejor la temperatura.
- Tiene que tener tapa incorporada pero no habrá que cerrarla herméticamente. También podemos improvisar una tapadera de plástico o madera.
- Practicaremos con un taladro una serie de agujeros, de 5 o 6 mm de diámetro, en la base del recipiente y en los laterales. Si el recipiente va a ir colocado sobre la tierra los agujeros laterales llegarán hasta media altura; si el recipiente va sobre pavimento, y elevamos sobre el suelo el compostador, los agujeros solo llegarán hasta unos 20 cm desde la base.

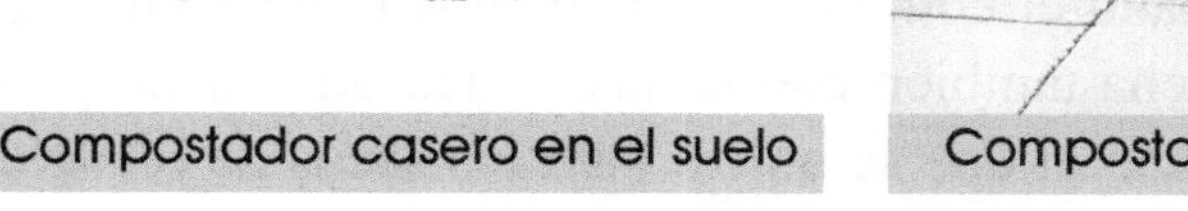

Compostador casero en el suelo

Compostador casero elevado

3. Compostador de madera

Podemos construir un recipiente de madera de una forma fácil poniendo en práctica sencillos conocimientos de bricolaje. A menudo se hacen reutilizando maderas, normalmente de pino, de los palets que se utilizan para el transporte y que frecuentemente aparecen abandonadas en cualquier rincón. La madera tendrá que ser tratada con una imprimación que la proteja de la humedad, podemos hacerlo de la forma clásica y con un producto natural, el aceite de linaza, que conseguimos en cualquier droguería o tienda de pinturas.

- Utilizaremos láminas de madera, de 1,5 o 2 cm de grosor, una longitud mínima de unos 60-70 cm y una anchura de entre 10 y 15 cm aproximadamente.
- Tendremos que preparar unos montantes con una madera más gruesa en forma de tabla o poste de sección cuadrangular.
- Podemos también preparar una base de madera, pero es posible prescindir de ella si el compostador se sitúa directamente sobre la tierra. Esta base puede ser un palet entero al cual le podemos fijar una malla de plástico rígido (o tela metálica plastificada) con el fin de que pueda retener los residuos orgánicos.
- Sobre los montantes iremos clavando las láminas de madera, dejando unos 4 mm escasos entre madera y madera para favorecer la aireación. Puede ser práctico dejar uno de los lados sin clavar y preparar unos encajes para las láminas de forma que sea más fácil el llenado; iremos subiendo las tablas a medida que se llena el compostador, y también el vaciado.
- Para tener tapado el compostador podemos utilizar una tapa de madera hecha también con tablas o bien utilizar un plástico tejido, como el que se utiliza para los sacos de recogida

de residuos de la construcción o el transporte de tierras, para permitir que transpire.

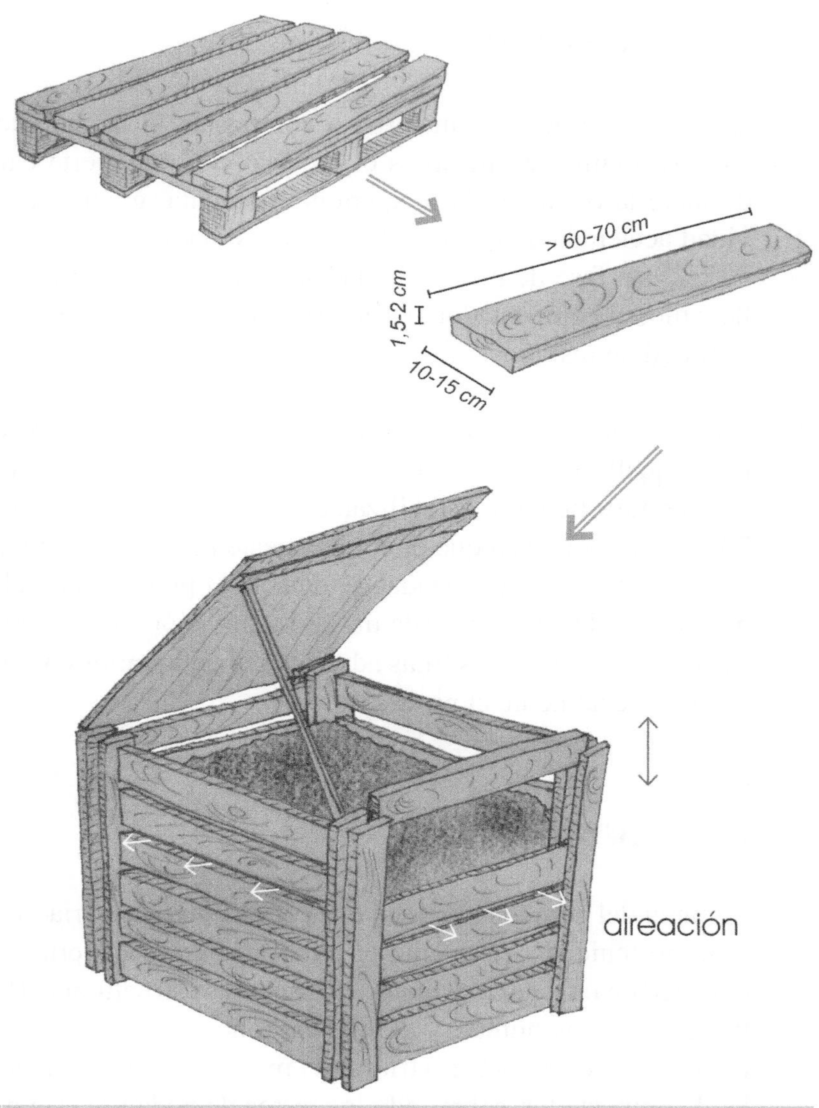

Construcción del compostador de madera

El proceso

Fases del compostaje

En cuanto se apila el material a compostar, si las condiciones son las óptimas e iniciamos el proceso con una cierta cantidad de materia orgánica, la temperatura aumenta, gracias a la actividad acelerada de los microorganismos, pudiendo llegar a unos 50ºC. Esta fase de más actividad se va repitiendo a medida que llenamos el compostador si la aportación se realiza con una cierta cantidad de residuos.

En una segunda fase, disminuye la actividad microbiana, ya que todo aquello fácilmente degradable ya ha sido transformado. La temperatura tiende a estabilizarse y se mantiene en torno a los 30ºC, y durará hasta que el compost esté maduro. Normalmente en estas fases más avanzadas se detecta la presencia en el compostador de las lombrices de tierra. La duración total del proceso es de entre 6 y 9 meses (mas adelante concretaremos como organizar correctamente el proceso).

Menú del compostaje

El menú del compostaje tiene que ser cuanto más variado mejor, siempre teniendo en cuenta el equilibrio entre material fresco, más rico en nitrógeno, y material seco, más estructurante (facilita la formación de humus) y rico en carbono.
Es mucho mejor trocear o triturar el material antes de incorporarlo al compostador, sobre todo los restos de poda (de esta manera

el proceso será más rápido y los microorganismos tendrán más superficie de material para actuar), así como tener una zona donde poder acumular el material que se tiene que compostar.

Tenemos que destacar la importancia del menú. Éste tiene que ser equilibrado y variado:

los microorganismos necesitan una dieta completa por poder hacer bien su actividad y eso se traducirá en la obtención de un compost más rico y con más capacidad fertilizante.

En el siguiente cuadro dividimos los residuos en compostables y no compostables. Dentro de los compostables encontraremos algunos de uso restringido para el compostador y deberán ser depositados en los contenedores específicos de recogida de residuos orgánicos de nuestro pueblo o ciudad.

Materiales no compostables

Madera tratada, pilas, envases tipo Tetra-brik, vidrio, restos de barrer, medicamentos, papel y cartón con impresión a color, plásticos y bandejas de porexpan, ropa (a no ser que sea 100% algodón y troceada), latas y papel de aluminio, colillas.

Materiales compostables

MATERIALES	OBSERVACIONES
FRESCOS Y RICOS EN NITRÓGENO	
Restos de fruta y verdura crudas	Mejor troceado. Moderar la aportación de cítricos.
Restos de ensaladas con aceite	Si contiene vinagre es necesario reducir las aportaciones al compostador casero.
Hierba fresca (césped)	Es un residuo que desprende mucha humedad y hay que moderar su uso en el compostador casero.
Restos de carne y pescado	Su uso en compostadores pequeños puede suponer molestias por malos olores y atraer visitantes indeseados.
Estiércol de animales de granja	Moderar su aportación en el caso de compostadores de poco volumen o situados en espacios muy pequeños.
SECOS Y RICOS EN CELULOSA (CARBONO)	
Restos de poda y ramillas	Es necesario que estén trituradas, los trozos deben de ser como máximo de 2-3 cm de largo. Su uso en grandes cantidades ralentiza excesivamente el proceso.
Piñas de pinos o abetos	Utilizarlas troceadas cuando éstas se hayan abierto y hayamos podido retirar sus semillas.
Tapones de corcho	Cortarlos en 2 o 3 pedazos.
Huesos de aceitunas o frutas	El uso para compostadores domésticos se desaconseja porque germinarían en el interior o una vez se aplique el compost en la tierra.
Virutas y serrín de madera (maderas no tratadas)	Es importante que la madera no esté barnizada ni pintada.
Hierba seca y paja	Controlar el uso de aquellas hierbas que hayan florecido y contengan semillas ya que favorecería su germinación en el compostador o en la tierra.
Hojas secas	
Marro de café	Es habitual su uso directo aplicado a la tierra para mejorar su aireación.
Bolsitas de infusiones	

Materiales compostables

MATERIALES	OBSERVACIONES
Papel y cartón (periódicos, cajas troceadas, envases de huevos, papel de cocina sucio, ...)	En pequeñas cantidades y preferiblemente sin impresiones a color.
Restos de comida cocinada	Su uso en compostadores pequeños puede suponer molestias por malos olores y atraer visitantes indeseados.
OTROS	
Cáscaras de huevo	Se recomienda aplastarlas o machacarlas con un mortero.
Pan y restos de productos de pastelería	Al retener mucha humedad y favorecer la formación de moho azul no se aconseja su uso en el compostador doméstico.
Huesos	
Cenizas de madera	En muy poca cantidad. Es un material que no se descompone pero puede aportar nutrientes.

Cómo preparar y llenar el compostador

1. Ubicación del compostador. Dedicaremos una zona del huerto al compostaje, preferiblemente encima de la tierra. Mejor que esté en un rincón, y en una zona con sol y sombra. Hay que decidir bien el lugar, ya que no es aconsejable ir cambiando el compostador de lugar. También existe la posibilidad de situarlo encima del pavimento, pero evitando el contacto directo con el suelo: lo podéis elevar con unos soportes, como por ejemplo una estructura de madera tipo palé o unos ladrillos. En este caso un posible cambio de ubicación suele ser más sencillo.

Es importante garantizar la estabilidad del recipiente con algún tipo de anclaje o sujeción y prever que, si tiene que ser utilizado por niños pequeños, hará falta una plataforma elevada para acceder a la tapa superior.

2. Preparación del material y almacenaje: es muy importante proveerse y almacenar cierta cantidad de material seco. Con esta finalidad, situaremos al lado del compostador unas cajas que estén bien aireadas y que se puedan apilar, como por ejemplo las cajas de fruta de plástico que se utilizan en los mercados.

Se aconseja separar el material seco más grueso (ramillas, piñas, tapones de corcho ...) del más fino (hierba seca, hojas ...). Pondremos un letrero en cada caja que identifique el tipo de material. El marro del café también lo podemos guardar si lo hemos secado previamente. La materia orgánica fresca no se puede almacenar y habrá que aportarla periódicamente o guardarla a lo sumo 2 o 3 días antes de incorporarla al recipiente.

3. Inicio del proceso: tal como se observa en los esquemas que tenemos a continuación, hay que diferenciar el compostador situado sobre la tierra del que situamos sobre pavimento. En el primer caso, prepararemos una capa de material seco grueso, mientras que si tenemos un compostador sobre pavimento la primera capa será de material de drenaje (grava o bolitas de arcilla expandida). Siguiendo la disposición del material tal como está representado en la figura, posteriormente se hace la llamada inoculación, es decir, introducir los organismos y microorganismos que empezarán a realizar el proceso. Esta operación, más sencilla de lo que parece a priori, consiste en añadir una capa fina de compost ya maduro (contiene millones de microorganismos) o, aún mejor, echar unos puñados de tierra de bosque que podemos conseguir nosotros mismos. Esta operación no es tan necesaria cuando compostamos sobre tierra ya que ésta nos proporcionará todos los organismos necesarios a no ser que esté muy estropeada. Sólo será necesario hacer este paso al inicio del proceso.

4.Llenado: hace falta una organización esmerada y metódica.

- Disponer de un cubo de unos 20 litros de capacidad para preparar la mezcla adecuada, siguiendo las proporciones que se indican en los esquemas, antes de verter los residuos orgánicos dentro del compostador. Al mismo tiempo tendremos que organizar el abastecimiento de los restos frescos de la cocina y el jardín, teniendo en cuenta que éstos no se pueden guardar más de 2 o 3 días ya que entonces tendríamos problemas de malos olores y moscas (hay que tener especial cuidado durante los meses de verano). Habrá que vaciar estos restos en el compostador 2 o 3 veces por semana.

- Es muy importante empezar el proceso con una cantidad considerable de restos orgánicos (haciendo 3 o 4 capas de golpe o llenando aproximadamente un tercio del volumen total del compostador) para que el proceso se inicie con intensidad.

- Iremos haciendo las mezclas y disponiendo el material siguiendo el esquema.

- Puede ser interesante llevar un registro con el volumen de los residuos aportados al compostador. Es muy sencillo: sólo necesitamos saber el volumen del recipiente que usamos y llevando la cuenta sabremos exactamente los residuos aportados. De esta manera, podremos clacular el volumen final del compost obtenido. ¡Nos sorprenderemos de la cantidad de residuos que hemos procesado y de la reducción conseguida!

- Hay que tener el compostador siempre tapado, así evitaremos que se moje cuando llueve o se seque demasiado cuando hace tiempo seco y caluroso.

5. Seguimiento y control: es importante mantener el ritmo de llenado del compostador para favorecer todos los procesos de transformación y evitar que se ralenticen. Cuando ya llevemos unos días llenándolo y los procesos estén activados, observaremos que el volumen va disminuyendo y la temperatura aumentando. El calor generado en el interior hace que el aire circule en sentido ascendente y vaya saliendo al mismo tiempo que va entrando de nuevo por los agujeros de ventilación.

Tareas a realizar:

- Controlar la proliferación de moscas: a menudo podremos observar la llamada mosca de la fruta, que es mucho más pequeña que la común y vive dentro del compostador porque se alimenta de la materia orgánica fresca; no es perjudicial pero sí que molesta, sobre todo cuando se abre el recipiente y empiezan a volar. Para controlarlas, es importante dejar siempre como última capa la de restos secos gruesos cubriendo los frescos o bien cubrir los residuos con una tela de saco. En casos más extremos podemos poner una capa de tierra de 2 o 3 cm.

- Controlar los malos olores: si el proceso se lleva a cabo correctamente y seguimos las instrucciones referentes a la disposición de los materiales, el compostador no tiene que oler mal ya que queda garantizada la circulación de aire gracias a la presencia de las capas de material grueso seco que vamos aportando periódicamente. Sin embargo, habrá que controlarlo haciendo un sondeo regular (cada 15 días aproximadamente): rascamos hacia el fondo del compostador y olemos: si el olor es de putrefacción será conveniente remover toda la materia, sin sacarla del compostador y añadir más material seco grueso. Una vez mezclada continuamos con el proceso normal de disposición en capas.

- Controlar el nivel de humedad: la materia que se está compostando siempre tiene que estar húmeda: el agua es indispensable para los organismos descomponedores y no puede faltar. Los restos vegetales frescos ya proporcionan bastante cantidad de agua y la aportación externa tendrá que ser poca. Normalmente sólo habrá que humedecer un poco la materia seca antes de ponerla dentro; lo podéis hacer con una regadera pequeña que tire el agua en forma de lluvia. Para hacer el control podemos utilizar el sensor de humedad que clavaremos dentro del compostador, si vemos que marca mucha sequedad echaremos agua directamente dentro; eso suele pasar en verano, sobre todo si el recipiente está a pleno sol. Si marca humedad excesiva, seguramente también tendremos malos olores por falta de aireación y tendremos que actuar según hemos explicado anteriormente.

Es importante saber que un exceso de humedad implica menos aireación y, por lo tanto, disminución de los procesos aeróbicos y aumento de los anaeróbicos, con las consecuencias correspondientes.

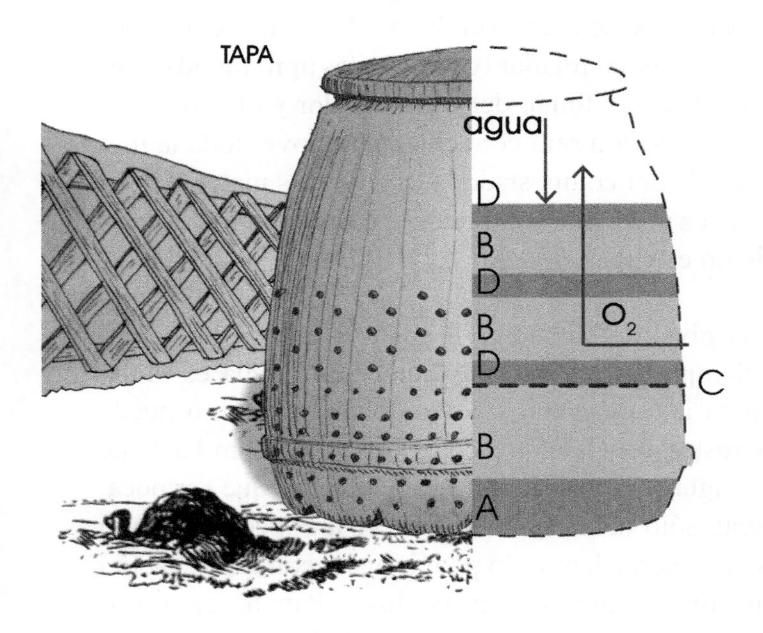

Compostadora en el suelo

D: Material seco duro (capa de 3-4 cm de grosor).

C: Inoculación de compost o tierra del bosque.

B: Mezcla de material fino (capa de 10 cm de grosor).
Material fresco desmenuzado (3/4 partes del total): restos crudos de verduras, césped o hierba fresca, restos de fruta, flores marchitas.
Material seco fino y otros (1/4 parte del total): hierba seca, restos de infusiones, marro de café, cenizas de madera no tratada, papel y cartón sin impresiones, paja, flores secas, cáscaras de huevo chafadas.

A: Material seco duro (capa de unos 8 cm de grosor): ramillas, cáscaras de frutos secos, restos de podas triturados, trocillos de madera no tratada, tapones de corcho troceados.

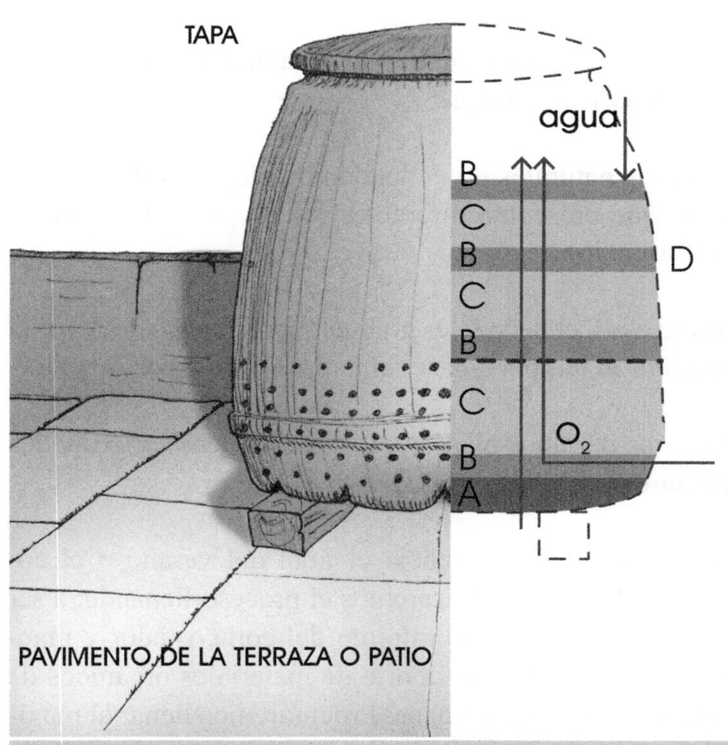

Compostadora elevada

D: Inoculación de compost o tierra del bosque.

C: Mezcla de material fino (capa de 10 cm de grosor).
Material fresco desmenuzado (3/4 partes del total): restos crudos de verduras, césped o hierba fresca, restos de fruta, flores marchitas.
Material seco fino y otros (1/4 parte del total): hierba seca, restos de infusiones, marro de café, cenizas de madera no tratada, papel y cartón sin impresiones, paja, flores secas, cáscaras de huevo chafadas.

B: Material seco duro (capa de unos 8 cm de grosor): ramillas, cáscaras de frutos secos, restos de podas triturados, trocillos de madera no tratada, tapones de corcho troceados.

A: Material de drenaje (bolitas de arcilla expandida).

Cómo contar el tiempo para saber que el compost ya está maduro

No se puede precisar con exactitud la duración del proceso. Tenemos que tener en cuenta que:

- Los procesos naturales no entienden de plazos, son procesos continuos que presentan diferentes fases y diferentes ritmos de transformación.

- En nuestro caso, el llenado es gradual: no llenamos de golpe el compostador ni tampoco hace falta que lo vaciemos de golpe.

- Tenemos que dar unos plazos poco exactos pero aproximados para poder organizarnos:

  - Cogeremos como referencia el final del verano o el comienzo del otoño: empezaremos el proceso llenando, a ser posible, un tercio como mínimo del compostador y mantener una frecuencia de aporte de materiales orgánicos de unas 2 o 3 veces por semana. Procuraremos llenar al máximo el compostador hasta finales de invierno y entonces lo clausuraremos. Una vez clausurado haremos el mantenimiento adecuado con las tareas de seguimiento y control anteriormente descritas. De esta manera, podremos vaciar el compostador al inicio del verano; serán en total unos 6 meses desde que lo hemos clausurado, pero un buena parte de los residuos ya llevan 7, 8 o 9 meses compostando. Tengamos en cuenta que al ir acercándose la época calurosa el proceso se acelera considerablemente.

  - Podemos disponer de un segundo compostador que empezaremos a llenar cuando clausuremos el primero y hasta principios del verano. Entonces se clausura y podríamos vaciarlo hacia mediados de invierno siguiente.

- Los compostadores a menudo disponen de una abertura inferior que posibilita el vaciado gradual del compost. Si optamos por esta posibilidad podríamos conseguir un funcionamiento continuo del compostador aunque aumentemos la imprecisión en cuanto al cálculo del tiempo de compostaje. Podríamos plantearlo de la siguiente forma: iniciamos el llenado y, pasados unos 4 meses, con un volumen ya considerable de residuos compostándose, marcamos el punto cero y contamos 7 meses. Durante este período podremos continuar el llenado y pasados estos meses iniciaremos el vaciado gradual por la abertura inferior. Una vez al mes abrimos la puertecita, retiramos cuidadosamente una capa de compost de unos 15-20 cm, volvemos a cerrar y así sucesivamente.

Usos y aplicaciones

La aplicación del compost ya maduro en el huerto se realiza una vez al año aprovechando el cambio de cultivo en las diferentes parcelas, coincidiendo con la finalización de los cultivos de verano. Una vez retiradas las plantas que han finalizado su ciclo (podemos cortarlas por debajo del tallo sin necesidad de arrancarlas del todo), aireamos bien la tierra con el escarificador y aplicamos el compost superficialmente. Si la siembra o plantación no se realiza de forma inmediata, aplicaremos igualmente el compost, regaremos periódicamente la parcela para mantener la tierra húmeda y la taparemos con un acolchado de paja para favorecer su actividad.

También cabe la posibilidad de guardar el compost en recipientes aireados: son ideales las cajas de plástico que se utilizan para la fruta, pero cubiertas para protegerlo de la lluvia o de la sequedad excesiva. Durante las primeras semanas se aconseja removerlo de vez en cuando para que acabe bien su maduración, al mismo tiempo que lo vamos humedeciendo.

Sin embargo, antes de finalizar el proceso de maduración, podemos hablar de compost fresco y posteriormente a su maduración hablamos de compost viejo. A continuación detallamos sus características y condiciones para su uso en los cultivos.

Compost semimaduro o fresco

- ***Periodo de formación***: 2-3 meses.

- ***Características y aplicaciones***: ya se ha realizado la fase más activa de la descomposición, pero todavía no se ha estabilizado en forma de humus. Éste compost, aplicado en determinados casos, supone una aportación rápida de nutrientes (la materia orgánica pasa a una fase de mineralización rápida), pero no es aconsejable utilizarlo de manera generalizada ya que puede afectar negativamente a las plantas cuando son jóvenes o puede hacer abortar la germinación de las semillas. Nunca lo pondremos en contacto con las raíces, sino que lo utilizaremos de forma superficial. La mejor época para aplicarlo es en otoño, y también en verano antes de plantar. Sólo es aplicable a árboles y arbustos frutales u ornamentales, y a plantas de huerto altamente exigentes (coles, patatas, puerros...).

• ***Dosificación***: capa de 1,5 cm (15 l/m^2), removedlo ligeramente con la tierra utilizando un rastrillo pero sin enterrarlo..

Compost maduro

• ***Período de formación***: 6 - 9 meses.

• ***Características y aplicaciones***: es un material muy esponjoso y ligero, con una densidad aproximada de 250 gr/l; tiene un color marrón oscuro (casi negro) y huele a tierra de bosque. Lo podemos aplicar en la superficie o mezclarlo con la tierra. Cuando se extrae del compostador hay que pasarlo por un tamiz de agujero grande (8-10 mm) para separar los restos leñosos que, como son más duros y secos, no se habrán descompuesto del todo. Estos restos que separamos tendrán que volver al compostador como material seco grueso.

• ***Dosificación***:
  - Dosis inicial para terrenos pobres: mezcladlo con la tierra removida a razón de 10 l/m^2. En superficie: capa de 2-3 cm (20-30 l/m^2).
  - Mantenimiento: en superficie, capa de 1 - 2 cm (10-20 l/m^2).
  - Infusión para riego fertilizante: compost + agua a partes iguales (nos referimos al mismo volumen). Remover y dejarlo en infusión 24 h, filtrar y aplicar. Puede servir para regar las plantas más exigentes o para las de interior.

Compost viejo

- ***Período de formación***: a partir de 1 año.
- ***Características y aplicaciones***: el compuesto extraído del compostador y almacenado continúa una lenta transformación que se traduce en una disminución de la cantidad de humus y un aumento de las sales minerales. Eso quiere decir que aportará más cantidad de nutrientes y que habrá que disminuir la dosis para evitar el exceso que podría perjudicar las plantas; podríamos decir que es un abono orgánico más concentrado.

El vermicompostaje

La producción de compost mediante la acción de una elevada población de gusanos rojos de California (*Eisenia foetida*) recibe el nombre de vermicompostaje o lombricompostaje. De aspecto similar a la típica lombriz de tierra, se diferencia de ésta por ser capaz de ingerir directamente materia orgánica fresca, básicamente de origen vegetal, con la ventaja que esto supone ya que su voracidad permite procesar una importante cantidad de residuos diariamente. Este sistema es muy útil para hacer compost en casa sin necesidad de aportar residuos secos y duros y requiere menos disponibilidad de espacio. En el caso de que tengamos huerto y jardín, el vermicompostador será el complemento ideal al compostador convencional ya que nos permite obtener un compost de mayor riqueza nutritiva y con un aporte de sales minerales para las plantas de forma más inmediata.

La calidad y composición final del compost depende no sólo

de las condiciones ambientales en que se encuentren nuestros gusanos, sino también del tipo de materiales orgánicos que les proporcionemos.

El menú básico consiste en:

- Restos de fruta y verdura variada y desmenuzada.
- Cáscaras de huevo trituradas.
- Marro de café y bolsitas de infusiones, con papel incluido pero sin la grapa que lo cierra.
- Serrín o virutas de madera natural humedecidas.
- Corcho troceado, papel y cartón sin impresiones.

De la variedad del menú dependerá la calidad del compost que obtendremos, por lo que es necesario acostumbrar a las lombrices a comer de todo. A menudo seleccionan los restos más apetitosos, como los de la fruta dulce, desestimando el resto por lo cual tendremos que variarles el menú. También es importante trocear los restos orgánicos para mejorar el rendimiento de los gusanos ya que así tendrán más facilidad para ingerir el alimento. Para alimentar nuestros gusanos, se aconseja habitualmente colocar el alimento a lo largo de una línea imaginaria en la parte media longitudinal del vermicompostador, o diametralmente, si éste es redondo. Este sistema, conocido como «lomo de toro» por la forma alargada de la disposición del alimento, tiene la ventaja de que permite determinar cuándo hay que alimentar nuevamente a los gusanos; eso ocurre cuando el «lomo de toro» ha sido consumido del todo por los gusanos.

Veamos qué pasa con estos alimentos en el compostador. Nuestros gusanos irán desplazándose a través de los residuos depositados, haciendo túneles mientras ingieren alimento, y excretando el vermicompost, hasta que acaben con todo. En su tracto digestivo hay una abundante flora microbiana que, junto a las secreciones gástricas, aceleran la descomposición de la matéria orgánica. Una vez expulsados los excrementos la transformación continúa nuevamente por la presencia de bacterias que hacen aumentar el contenido en humus.

Los factores que tenemos que controlar en la producción de compost son:

- ***Temperatura***. Para que los gusanos estén lo más cómodo posible y su actividad sea máxima, la temperatura tiene que estar entre 18° y 25°C.

- ***Humedad***. Tanto un exceso como una falta de humedad pueden condicionar el desarrollo de los animales. Hay que mantener la humedad entre el 70 y el 80%. Una humedad más elevada provocaría ausencia de oxígeno y que se desarrollaran procesos de fermentaciones anaeróbicos ocasionando malos olores. Si se observa el compost muy empapado podemos mezclar fibra de coco seca y controlar cómo evoluciona la humedad. Para ello podemos usar el mismo sensor que utilizamos para la tierra.

- ***PH***. Tiene que estar entre 5 y 8,4. Aunque la secreción de calcio en el tubo digestivo del gusano puede neutralizar los valores extremos del pH, no tenemos que olvidar que es un animal de cuerpo blando que respira a través de su epidermis y, por lo tanto, valores de pH fuera de este rango, no sólo afectan a la actividad del gusano, sino que pueden dañar su epidermis (igual que los ácidos dañan la nuestra) o dificultar la captación de oxígeno.

- ***Insectos***. La actividad de los gusanos no atrae a los insectos, siempre que tomemos la precaución de enterrar los restos que les suministramos, cubriéndolas con papel o fibra de coco. En caso contrario, podemos tener una plaga de moscas de la fruta, que aunque son inofensivas pueden llegar a ser molestas. Las hormigas, pulgones y otros insectos, se verán alejados del sustrato si el nivel de humedad es alto. Si observamos la presencia de estos insectos será porque el interior está demasiado seco y tendremos que pulverizar con agua.

El vermicompostador:

Pasos a seguir

Se aconseja realizar el proceso en recipientes especialmente pensados para el vermicompostaje. Normalmente constan de un sistema de bandejas circulares o rectangulares apilables, con agujeros en su base, que se encaja encima de un recipiente destinado a recoger los líquidos que se producen durante el proceso.

En el esquema al lado vemos la estructura de estos vermicompostadores.

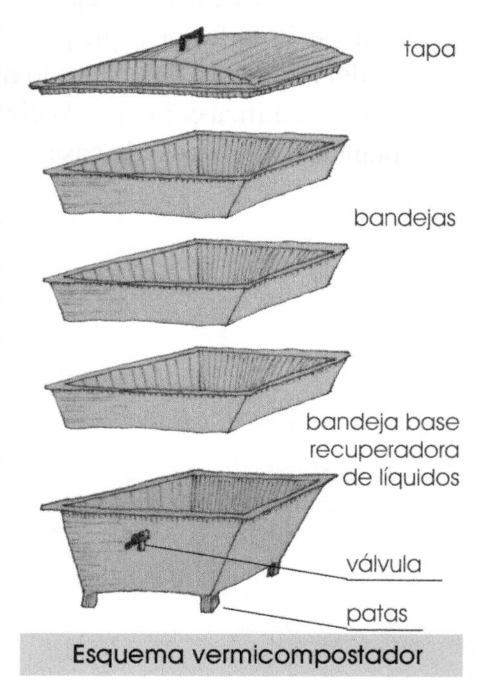

Esquema vermicompostador

Al adquirir el recipiente también nos proporcionarán los gusanos, en poca cantidad ya que la población irá en aumento. Preparamos una de las bandejas con un lecho a base de fibra de coco humedecida sobre la cual colocamos los gusanos. Empezamos a alimentarlos, los gusanos crecen, se reproducen y van expulsando sus excrementos. El nivel de la bandeja va aumentando y cuando se acerca al límite dejamos de poner residuos en la primera bandeja y preparamos la segunda. Los gusanos, buscando el alimento, se dirigen al piso superior abandonando la primera bandeja. Cuando todos los gusanos han emigrado - esto puede durar bastantes días- podemos sacar la bandeja y vaciar el compost. Lo dejaremos airear un poco y ya podremos aplicarlo como fertilizante.

Poco a poco de las bandejas va goteando líquido que se recoge en el depósito inferior y que podemos ir recogiendo abriendo el grifo del recipiente. Este líquido diluido (1 parte de líquido por 4 de agua) se utiliza como un excelente fertilizante para regar nuestras plantas del huerto o de casa.

Las plantas y su cultivo

Las hortalizas

Son normalmente vegetales de ciclo anual; es decir, su tiempo de vida se reduce a unos cuantos meses durante los cuales las plantas germinan a partir de una semilla, se desarrollan, florecen y generan la semilla o el fruto para después morir. Son las plantas que habitualmente también llamamos «de temporada», en referencia a este ciclo de vida corto.

Según cuáles sean las plantas y la parte que aprovechamos para el consumo, el ciclo vital se interrumpe recolectando la planta o la parte de ella que nos interesa. Por ejemplo, en las que queremos aprovechar la hoja (lechuga, acelga, col...) interrumpiremos su ciclo antes de que la planta florezca; por el contrario, en las plantas de las cuales nos interesa que fructifique, tendremos que esperar que la planta florezca, polinice y genere el fruto, que cogeremos. También resulta interesante dejar que algunas plantas completen su ciclo para observar su floración, interesante desde el punto de vista ornamental o educativo o para experimentar con la producción de nuestras propias semillas.

La renovación de las plantas se hace indispensable para garantizar un óptimo desarrollo de las mismas aunque podremos observar que, en aquellos lugares donde los inviernos son suaves y sin apenas heladas, algunas de las plantas podrían subsistir y brotar de nuevo al año siguiente pero sin obtener buenos resultados en cuanto a producción se refiere.

También hay que tener en cuenta aquellas plantas vivaces que habitualmente se cultivan en los huertos. Una planta vivaz es aquella que vive más de una temporada sin problemas, y que habrá que destinarla a un sitio específico en el huerto porque quedará al margen de las parcelas donde los cultivos cambian a lo largo del año o de un año para otro (es la denominada rotacion de cultivos que detallaremos más adelante).

Principales grupos de plantas hortícolas. Sus características y consejos básicos para su cultivo

En este apartado hemos recogido aquellas plantas que tradicionalmente han estado presentes en nuestros huertos, pero podrían ser muchas más en función de la situación geográfica, el clima y las tradiciones de cultivo propias de cada región.

Para cada planta haremos una pequeña descripción de sus características básicas y las consideraciones que tenemos que tener en cuenta a la hora de cultivarlas.

El nombre de las plantas

También es importante prestar atención al nombre de las plantas. Por un lado tenemos el nombre popular con el que se designa de forma habitual a las especies en un idioma concreto. Éste a menudo adquiere también formas diferentes, dentro de un dominio lingüístico determinado, dependiendo del lugar donde nos encontremos y, más aún, para nombrar a las diferentes variedades de cada planta la riqueza lingüística puede ser extraordinaria.

Por otro lado tenemos el nombre científico asignado a cada especie y que utiliza la lengua latina para nombrarlas. La forma de identificar a las especies se denomina binomial porque utiliza dos nombres: el primero que determina el género y el segundo que especifica la especie. Estos nombre científicos son universales y normalmente acompañan a los nombres populares para saber con certeza de qué planta estamos hablando.

I) Las hortalizas de bulbo, raíz y tubérculos

Son aquellas plantas que se cultivan para aprovechar unos órganos subterráneos comestibles de naturaleza diversa. Éstos pueden ser en forma de bulbos, raíces o tubérculos.

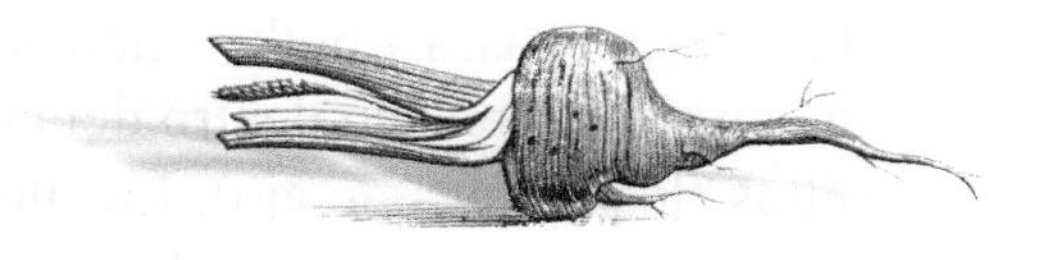

Necesitan suelos blandos para poder desarrollar sus órganos subterráneos; por lo tanto, es indispensable una tierra bien aireada y esponjosa. Una buena fertilización de base es fundamental para un desarrollo correcto de los órganos subterráneos. Si la tierra es pobre y se hace una fertilización más rápida cuando la planta crece, desarrollaremos mucho la parte aérea y poco la subterránea.

Por lo que se refiere al riego, éste será más frecuente al principio y menos cuando el crecimiento de la planta esté más adelantado. De esta manera favoreceremos un desarrollo correcto de la parte subterránea.

Plantas que hacen bulbos

Un bulbo es un órgano subterráneo constituido por un tallo corto y engrosado, con una yema destinada a originar el tallo aéreo rodeado de hojas carnosas y ricas en reservas. Muchas plantas bulbosas se utilizan también en jardinería: tulipán, jacinto, narciso, azucena, etc.

Ajo (Allium sativum). Es una planta perenne de la familia de las liliáceas que puede alcanzar en el momento de su floración hasta los 1,5 m de altura. Presenta las hojas aplanadas y estrechas. El bulbo –llamado popularmente cabeza- tiene un envoltorio blanco dentro del cual se encuentran diversos bulbillos (los dientes de ajo). Las flores son verdosas o blanquecinas, a veces rosadas, y sobresalen con su largo pedúnculo por encima del bulbo. Es una planta perenne porque por sí sola puede ir subsistiendo a partir de los bulbillos que se van formando, aunque desde el punto de vista productivo hortícola no interesa, ya que irá haciendo ajos cada vez mas pequeños.

Plantaremos los dientes más sanos y grandes; es mejor adquirirlos en un lugar especializado en semillas y plantel. No es aconsejable utilizar los destinados al consumo ya que han perdido facultades y saldrían plantas de poca calidad. Al plantarlos, hay que dejar la punta hacia fuera. Durante unos meses la planta va creciendo hasta que se ha formado de nuevo el bulbo. Si queremos ajos tiernos arrancamos la planta a los 2-3 meses, si lo que queremos es la cabeza bien formada y unos ajos para conservar esperaremos unos 5 meses hasta que observemos que las hojas prácticamente se han secado. Aunque habitualmente la plantación se realiza con los dientes separados unos 10 cm. también se puede plantar una cabeza entera si el objetivo es recolectar ajos tiernos.

Cebolla (Allium cepa). Planta bianual de la familia de las liliáceas que alcanza 1 m en el momento de la floración. De hojas semicilíndricas que nacen del bulbo subterráneo, provisto de raíces superficiales, tallo derecho que habitualmente se origina en el segundo año (o temporada) de maduración de la planta, portadora en su extremo de una umbela de flores blancas o rosadas. En este caso, y a diferencia del ajo, la cebolla no divide su bulbo y, por lo tanto, no se puede convertir en perenne. Su ciclo se divide en dos fases: una primera para formar el bulbo y otra para hacer la floración a partir de las reservas acumuladas.

Existen muchas variedades, de formas y colores diversos. Si queremos cebollas tiernas, recolectadlas cuando las hojas son todavía verdes; sin embargo, si las queremos para conservar, habrá que esperar que se seque la planta. Hay que prestar atención y detener la floración si vemos que sale el tallo florífero, que se tendrá que cortar, si no queréis que el bulbo disminuya de tamaño. Cuando las hojas se empiezan a marchitar, y para que el bulbo se acabe de formar, se suelen doblar y aplastar las hojas y cuando éstas estén secas del todo arrancamos las cebollas. Para su mejor conservación habrá que dejar los bulbos unos días expuestos al sol.

Plantas que hacen tubérculos

Un tubérculo es un tallo subterráneo engrosado y rico en sustancias de reserva. La patata es el tubérculo comestible más conocido, pero hay otros como el boniato (o batata).

Boniato (Ipomea batatas). Planta de la familia de las convolvuláceas, de tallos rastreros y ramosos, hojas alternas lobuladas, flores en campanilla vistosas de color entre blanco y violeta y raíces tuberosas de fécula azucarada. La composición del boniato es muy similar a la de la patata pero con algunas diferencias. Presenta un contenido energético mayor que la patata, que viene determinado en su mayoría por los hidratos de carbono complejos -almidón- y los azúcares. Estos últimos son los responsables de su marcado sabor dulce.

Los boniatos son plantas tropicales y subtropicales que no soportan las bajas temperaturas y son amantes de las humedades ambientales altas. La plantación se realiza a partir de boniatos de la cosecha anterior dejando que nazcan las plantas, las cuales luego se arrancarán para sembrar en el lugar definitivo. Cada uno de los esquejes ha de incluir un brote con su raíz y un trozo de tubérculo. Es una planta muy exigente en cuanto a abono y riego. Los tubérculos los recogeremos cuando la planta empiece a amarillear y las hojas se vayan secando.

Patata (Solanum tuberosum). La patata es una planta de la familia de las solanáceas que tiene las hojas compuestas, con folíolos grandes que se intercalan con otros más pequeños. Las flores son blancas o violáceas. Los tubérculos comestibles son su parte más característica.

Para obtener la patata, hay que sembrar patatas grilladas o trozos de patata con grillo. También es aconsejable comprarlas seleccionadas, especiales para sembrar, para obtener resultados satisfactorios. La cosecha de patatas se hace cuando la planta empieza a secarse. Desde que aparecen las primeras hojas, se tienen que ir recalzando las plantas (cubrir la base de la planta con tierra) para evitar que la luz incida sobre los tubérculos. Esta planta no se cultivará en las parcelas donde se hace la rotación de cultivos y se le dedicará un espacio especial ya que requiere un tratamiento de la tierra específico.

Plantas de raíces comestibles

Nos referimos a aquéllas que desarrollan órganos subterráneos en forma de raíces que han acumulado sustancias de reserva. También algunas de las que se utilizan en jardinería son de este tipo: dalia, ciclamen, tulipanes, algunas begonias...

Las que habitualmente plantamos en el huerto son:

Rábano (Raphanus sativus). Planta herbácea que forma parte de la familia de las crucíferas, igual que las coles, que hace flores con cuatro pétalos en forma de cruz. Es anual, de ciclo muy rápido: en 1-2 meses puede llegar a florecer. Forma una raíz gruesa de color rojizo que es la parte comestible.

Es una hortaliza de cultivo muy fácil y de crecimiento rápido. Se siembra de forma directa y germina rápidamente. Es importante que no sufra por falta de agua, ya que eso comporta que el rábano se convirtiera en leñoso y fibroso. Es por eso que va bien cultivarlo a la sombra de otras plantas y mantenerlo bien regado.

Cuando vemos que asoma la raíz ya gruesa procedemos a su recolección para evitar que inicie la fase de floración, que implicaría el consumo de las reservas acumuladas en la raíz.

Zanahoria (Daucus carota). Planta herbácea de la familia de las umbelíferas (hace las flores agrupadas en una inflorescencia que toma forma de umbela). Es bianual; aprovechamos la raíz antes de que la planta florezca.

Existen diferentes variedades de longitud variada. Es una planta exigente con respecto al agua. Hay que ir recalzando las raíces para evitar que les toque la luz. Podemos comprobar la medida para saber cuándo cogerla destapando ligeramente la base de la planta. Se siembra de forma directa y tarda unos días en germinar. Es especialmente importante respetar la profundidad de siembra (1 mm aproximadamente).

II) Leguminosas y hortalizas de fruto

Son aquellas plantas que cultivamos por su fruto comestible. Algunas lo hacen en forma de legumbre y otras en formas diversas de frutos carnosos.

En este grupo encontramos plantas de naturaleza muy diversa: algunas presentan forma de lianas (trepadoras) y de consistencia más herbácea (todas las leguminosas); otras tienen un porte más arbustivo y el tronco de consistencia semileñosa, es decir, que sin ser arbustos propiamente dichos, cogen la forma y presentan un tallo casi tan duro como si fuera leñoso (la berenjena o el pimiento, por ejemplo). También incluimos en este grupo a la fresa, que es una planta vivaz y con un método propio de reproducción vegetativa mediante estolones (brote lateral delgado que nace a la base de la planta y que crece horizontalmente encima del suelo).

Aunque se cultivan anualmente (excepto la fresa), algunas podrían vivir más tiempo e incluso rebrotar (es el caso de la tomatera, la berenjena o el pimiento).

Requieren un suelo bien drenado, ya que, si queda agua encharcada cerca de la planta, la puede perjudicar gravemente. El riego será abundante al principio; lo reduciremos, sin embargo, cuando aparezcan las primeras flores en las especies de fruto carnoso y lo incrementaremos en el caso de legumbres.

Plantas que hacen el fruto en forma de legumbre

Hay que destacar que todas estas plantas pertenecen a la misma familia, la de las leguminosas o papilionáceas, y se caracterizan por una flor peculiar, que tiene forma de mariposa. Todas hacen el fruto en forma de legumbre. Aparte de las que típicamente se cultivan por sus frutos comestibles, también hay muchas plantas de esta familia que se utilizan en jardinería, como el guisante de olor (muy parecido al guisante comestible), arbustos como las retamas o árboles como la robinia, la tipuana o el árbol del amor.

Guisante o arveja (Pisum sativum). Liana herbácea anual, con zarcillos (organos filamentosos especiales que salen del tallo y permiten a la planta sujetarse a un soporte), hojas compuestas con folíolos elípticos, flores blancas o purpúreas agrupadas en racimos, frutos en legumbre y semillas redondas y verdes: los guisantes.

Se siembran directamente sobre el terreno poniendo 4 o 5 semillas juntas. Para facilitar el crecimiento, hay que poner tutores ramificados para que se enganchen los zarcillos y la planta quede sujeta. Los tutores también se pueden sustituir por un trozo de tela metálica sujeta mediante dos estacas de madera o bien por un sistema de hilos entrelazados que cuelguen de dos estacas o cañas. Existe gran diversidad de variedades, según la forma, el color, la altura, la temporada de recolección, etc. No toleran el calor ni la sequía: hay que garantizar el aporte de agua durante la formación del fruto, así será más tierno. Mejoran las propiedades del suelo ya que son fijadoras del nitrógeno. Se pueden utilizar como abono verde.

Haba (Vicia faba). Planta herbácea anual, de tallos erectos y poco ramificadas, hojas alternas, compuestas de dos a cuatro pares de folíolos ovados y enteros. Flores blancas o rosáceas, con una mancha negra en los pétalos laterales, olorosas y unidas dos o tres en un mismo pedúnculo, y fruto en vaina de unos doce centímetros de largo con cinco o seis semillas grandes, oblongas, aplastadas y con una raya negra en la parte asida a la misma vaina. Estas semillas son comestibles, y aun todo el fruto cuando está verde. Se cree que la planta procede de Persia, pero se cultiva de antiguo en toda Europa.

Es una planta muy resistente y adaptable que tolera bajas temperaturas y que no soporta el calor. Para sembrar las semillas, hacedlo directamente sobre el terreno de cultivo y a la profundidad adecuada para que los tallos queden sujetos por la tierra. Va bien sembrar 3 o 4 semillas de golpe, así la planta cogerá forma de mata y tendrá más consistencia. Al tener los tallos débiles la planta puede torcerse por acción del viento por lo que se recomienda hacer algún tipo de sujeción en forma de pequeño cercado hecho con cañas.

Judía o poroto (Phaseolus vulgaris). Liana herbácea anual, de tallos volubles y hojas compuestas divididas en tres folíolos, de flores blancas o purpúreas dispuestas en racimos y fruto en vainas aplastadas, terminadas en dos puntas, y con varias semillas de forma de riñón. Se cultiva en las huertas por su fruto, comestible, tanto seco como verde, y hay muchas especies, que se diferencian por el tamaño de la planta y el volumen, color y forma de las vainas y semillas.

De la judía se obtiene la judía tierna (consumo en fresco) y la judía seca, para la cual hay que dejar secar el fruto en la planta. Hay variedades enanas y otras que necesitan tutores para que se enrosquen los tallos (normalmente se utilizan cañas). Prefieren ambientes soleados, y no tolera mucho el frío. Para su siembra hay que esperar que la temperatura supere los 15 °C. Para la recolección de la judía seca hay que esperar que tanto la planta como el fruto estén secos. La judía tierna hay que ir recolectándola escalonadamente, cuando tenga el tamaño adecuado, cada dos o tres días. Es importante que el suelo no quede nunca seco: siempre tiene que tener un cierto grado de humedad. Hay que prestar atención a reducir el riego en el momento del inicio de la floración ya que así favorecemos el cuajado y formación del fruto. El riego excesivo estando la planta en floración puede provocar que las flores aborten y caigan.

Plantas que hacen frutos carnosos

De las que hacen fruto y tienen un puerto erecto y ramificado (semblante en un arbusto) tenemos:

Berenjena (Solanum melongena). Planta anual semileñosa de la familia de las solanáceas; el tallo y las hojas son pilosos y las flores blancas o azules. La berenjena es un fruto grueso y alargado de color casi negro con tonos violáceos. Florece y fructifica en verano.

Los riegos serán abundantes al principio, reduciendo la frecuencia cuando aparezcan las primeras flores: así favorecemos la formación del fruto. A menudo hay que poner tutores en la planta ya que se puede torcer y romper, sobre todo cuando hace los frutos por el peso de estos. Al recoger el fruto, cortadlo sin arrancarlo ya que, si no, heriréis la planta. Conviene no dejarlo madurar mucho porque se vuelve duro y más ácido.

Calabacín o zapallito (Cucurbita pepo). Planta anual de la familia de las cucurbitáceas, de crecimiento indeterminado, porte rastrero y que crece de forma sinuosa, pudiendo alcanzar un metro o más de longitud. Hojas grandes y palmeadas con el margen dentado. En una misma planta coexisten flores masculinas y femeninas, solitarias, vistosas, grandes y acampanadas. La flor femenina se une al tallo por un corto y grueso pedúnculo, mientras que en las flores masculinas (de mayor tamaño) dicho pedúnculo puede alcanzar una longitud de hasta 40 centímetros. El fruto es carnoso, jugoso y de color variable.

Necesita calor y riegos abundantes y es necesario preparar el suelo con un buen aporte de compost y algún tipo de abono más concentrado para satisfacer sus necesidades nutritivas. Para hacer la siembra hay que esperar que la temperatura sea de 15°C como mínimo y de 20° C para su óptimo desarrollo. Para garantizar una buena fructificación se recomienda favorecer la polinización de forma manual espolvoreando el polen de las flores masculinas maduras sobre las femeninas (podemos hacerlo ayudados por un pincel). El fruto se recolecta aproximadamente cuando se encuentra a mitad de su desarrollo; el fruto maduro contiene numerosas semillas y no es comercializable debido a su dureza y a su gran volumen. La producción y desarrollo del fruto es muy rápida, por lo que hay que prestar atención a la recolección en estado óptimo.

Fresa (Fragaria vesca). Planta de la familia de las rosáceas, con tallos rastreros, nudosos y con estolones, hojas pecioladas, vellosas, blanquecinas por el envés, divididas en tres segmentos aovados y con dientes gruesos en el margen; flores pedunculadas, blancas o amarillentas, solitarias o en corimbos poco nutridos, y fruto casi redondo, algo apuntado, de un centímetro de largo, rojo, suculento y fragante.
Soporta bien el frío y necesita riegos abundantes cuando hace calor, ya que no tolera la sequía. Las fresas se reproducen por estolón. Hay que vigilar que los frutos no estén en contacto con la humedad del suelo porque se pudrirían. No tendréis este problema si hay un acolchado de paja en torno a la planta. Como es perenne, no participará en las rotaciones, pero sí que tendréis que cuidar de fertilizarla a menudo: es bastante exigente.

Pepino (Cucumis sativus). Liana herbácea anual con zarcillos que crece reptando o sobre tutores ramificados. Es de la familia de las cucurbitáceas (la misma que la de los melones, sandías, calabacines...). Las flores son de color amarillo y pueden ser hermafroditas o unisexuales. Presenta unas hojas grandes en forma de corazón en que se distinguen tres lóbulos, de color verde oscuro y llenas de una fina vellosidad. El fruto es muy carnoso y lleno de agua. Si no se coge a tiempo, aparte de perder calidad, afecta al desarrollo de la planta.

Necesita calor y riegos abundantes. Para hacer la siembra hay que esperar que la temperatura sea de 15ºC como mínimo y de 20º C para su óptimo desarrollo. A medida que se va desarrollando la planta pinzamos los brotes tiernos (eliminando la yema terminal) para limitar el crecimiento vegetativo y favorecer la formación de flor y fruto.

Pimiento (Capsicum annuum). Planta anual semileñosa de la familia de las solanáceas, de hojas ovadas y enteras, flores blancas y solitarias y frutos en baya vacía y grandes.

Prefiere lugares soleados y calor para llevar a cabo un buen desarrollo. Hay variedades de pimiento verde y otros que, al madurar, pasan del verde al amarillo o al rojo. Cuando la planta alcanza entre 30 y 40 cm de altura, colocad tutores, y cortad el tallo principal para estimular el crecimiento lateral. Si el tiempo es muy seco, se recomienda rociar las hojas en agua calentada al sol unas horas.

Tomatera (Solanum lycopersicum). Planta semileñosa de la familia de las solanáceas, con hojas compuestas muy divididas, flores amarillas y frutos muy jugosos, de figura globosa, los tomates. A pesar de no ser estrictamente una planta trepadora, como tiene mucha capacidad de crecimiento, el tallo no tiene suficiente consistencia para aguantarse y, para facilitar el cultivo, normalmente se ata la planta a un tutor vertical.

Existen muchas variedades, y necesita calor para desarrollarse y madurar. Es muy sensible a las heladas. Hay que enterrar parte del tallo cuando se hace el transplante, colocar tutores (por ejemplo cañas) para ir atando el tallo principal y eliminar los brotes laterales para favorecer antes la formación de flores y frutos. La recolección se hace de forma escalonada a medida que van madurando los frutos. Cuando la planta inicia la floración es conveniente disminuir el riego para favorecer mejor la formación del fruto en detrimento del crecimiento vegetativo.

III) Hortalizas de hoja

Se incluyen dentro de este grupo las que se cultivan para consumir la parte aérea, normalmente las hojas, pero también los tallos y a veces las flores. De estas plantas nos interesa un rápido desarrollo, ya que así se mantienen tiernas y no se vuelven fibrosas.

Acelga (Beta vulgaris). Planta herbácea de grandes hojas, relucientes y onduladas, que crecen en forma de roseta basal y con un pecíolo ancho y plano. Es de ciclo anual y pertenece a la familia de las quenopodiáceas. En el momento de la floración, la planta se estira formando una gran inflorescencia en que las flores se agrupan en glomérulos de 2 a 8 flores. Generalmente tienen la raíz carnosa. Es una planta que frecuentemen-

te podremos encontrar como subespontánea cerca de los caminos y en los márgenes de los cultivos.
Bien adaptada a climas suaves y húmedos, la sequía hace que las hojas sean más fibrosas y pierdan ternura; hay que garantizar, pues, un riego permanente. Se pueden sembrar todo el año en climas templados, con una temperatura mínima de 10ºC. Cuando la planta ya ha crecido, puede soportar temperaturas más bajas. Conviene ir recogiendo las hojas de la planta a medida que van creciendo. Cuando hay cambios bruscos de tiempo, la planta se puede espigar para iniciar su proceso de floración.

Apio (Apium graveolens). El apio pertenece a la familia de las umbelíferas y es una planta bianual. Tiene una raíz pivotante, potente y profunda, y otras secundarias más superficiales. Del cuello de la raíz principal brotan tallos herbáceos que alcanzan entre 30 y 80 cm de altura. Las hojas, grandes y compuestas, brotan en forma de corona con el pecíolo grueso y carnoso que se prolonga en gran parte del limbo. En el segundo año, emite el tallo floral, con flores blancas o moradas. La floración en el apio está motivada principalmente por la acción de temperaturas bajas durante un cierto tiempo y cuando la planta ya se ha desarrollado considerablemente.
Si se quieren blanquear se tienen que tapar las bases de las hojas durante 2-3 semanas cuando la planta ya está crecida. Para ello cubrimos con tierra la base de la planta o la resguardamos de la luz solar envolviéndoa en un cartón o periódico. Otra opción es atarlos pero sólo conseguiremos blanquear la parte interior. Durante el período de blanqueo los riegos se harán con cuidado para no mojar la zona interior de las hoja ya que se corre el riesgo de iniciar un proceso de pudrición de las hojas más tiernas. También tendremos que regar con frecuencia si queremos una planta bien tierna.

Col (Brassica oleracea). Planta herbácea perenne o bianual de la familia de las crucíferas que puede llegar a los 300 cm de altura si la dejamos desarrollar en todo su ciclo vital. En la primera fase de su crecimiento, presenta un tallo muy corto y las hojas imbricadas que van formando piña para, más adelante, estirar su tallo separando las hojas entre sí hasta que florece. Forma flores con 4 pétalos de color amarillo agrupadas en racimos poco compactos. Hay variedades de hoja más lisa y otras con las hojas abolladas y se plantan tanto en verano como en invierno.

Su cultivo requiere de una buena fertilización del suelo ya que son plantas de gran exigencia nutritiva. Los riegos serán abundantes para favorecer el crecimiento de hojas tiernas y grandes. Es aconsejable aplicar un acolchado de paja para proteger la tierra tanto en verano como en invierno y favorecer un mejor desarrollo de la planta.

Escarola (Cichorium endivia). Planta anual o bianual de la familia de las compuestas con las hojas que salen en roseta y muy a ras de tierra; algunas variedades tienen muchas hojas que, como quedan apretadas, se convierten en blancas; en otros casos, normalmente se ata la planta cuando ya está crecida y durante unos 15 días con el fin de blanquear la parte interior. Si no la cogemos, la planta emitirá un tallo floral ramificado formando unos capítulos florales de color azul.
También es una planta de crecimiento rápido que se caracteriza por sus hojas rizadas y muy apretadas. Resiste bastante bien el frío y no tolera el exceso de calor que la puede hacer espigar. Tampoco es conveniente sembrarla cuando la temperatura baja de los 10° C ya que también favorece una floración precoz. En el momento de atarla para su blanqueo es necesario que el ambiente

sea seco y que no se concentre la humedad en las hojas para así evitar su pudrición. También cabe la posibilidad de juntar las hojas para su blanqueo rodeando la planta de un collar de plástico, de unos 10 cm de grosor, aprovechando por ejemplo el plástico de una garrafa de agua.

Espinaca (Spinacia oleracea). Planta herbácea anual de la familia de las quenopodiáceas que en una primera fase forma una roseta basal de hojas de duración variable según las condiciones climáticas y que, pasado un tiempo, emite un tallo derecho que incluso puede ramificarse. Hay plantas masculinas, femeninas y también con los dos tipos de flores. Las femeninas dan mejor resultado por el hecho de que tardan más en espigarse y hacen más hojas basales. Las hojas son de color verde oscuro y tienen el pecíolo cóncavo que presenta color rojizo en la base. Si la dejamos florecer, observaremos las diferencias entre las flores masculinas (con 4-5 pétalos y 4 estambres formando inflorescencias en forma de espigas) y las femeninas reunidas en glomérulos en las axilas de las hojas (con la corola dentada y un pistilo).

Es una planta que resiste los inviernos fríos, y que prefiere clima fresco y húmedo. Si hace mucho calor o el terreno es excesivamente seco, puede desencadenarse prematuramente el proceso de floración (espigado). Germina a partir de 8°C. Para un correcto cultivo y un desarrollo óptimo se recomienda la siembra al finalizar las épocas más calurosas y que las plantas terminen el crecimiento ya entrado el invierno.

Lechuga (Lactuca sativa). Planta anual de la familia de las compuestas con las hojas formando una roseta basal que según las variedades pueden formar piña en el centro. La forma del limbo y el margen de éste son muy variables y puede

ser liso, ondulado o serrado. Si lo dejamos florecer, veremos los capítulos florales de color amarillo agrupados en racimos. Las semillas están provistas de un penacho para ser transportadas por el viento.

Prefiere suelos frescos, bien drenados y con bastante humedad. Existen muchas variedades, adaptadas a los diferentes climas, y también de formas y aspectos diferentes. Es una planta de ciclo rápido, en unos 50-60 días desde el trasplante la planta puede estar lista para su recolección, y de cultivo fácil, ideal para intercalar con otras de ciclo más largo. El crecimiento lento causado por la poca fertilidad de la tierra o escasez en el riego acusa el sabor amargo de la lechuga. En épocas más calurosas o con cambios bruscos de tiempo el inicio del proceso de floración puede aparecer de forma prematura.

Puerro (Allium porrum). Planta bianual de la familia de las liliáceas (como el ajo o la cebolla). Aunque forma bulbo, como es muy estirado, se acostumbra a incluir dentro del grupo de las plantas de hoja. El puerro consta de tres partes bien diferenciadas: hojas largas (lanceoladas de color verde azulado y planas que se van insertando en el bulbo subterráneo), bulbo alargado blanco y brillante y numerosas raíces pequeñas que van unidas en la base del bulbo. En conjunto, hace aproximadamente unos 50 cm de altura y de 3 a 5 cm de grueso. La inflorescencia de forma esférica se produce en umbelas y todas forman una superficie plana de flores blancas o rocíos que producirán numerosas semillas de color negro. El bulbo y parte de las hojas constituyen la parte comestible de la planta.

IV) Hortalizas de flor

Alcachofa (Cynara scolymus). Planta vivaz de la familia de las compuestas, muy vigorosa, que presenta forma de mata con hojas derechas, gruesas, acanaladas longitudinalmente, ramificadas, de color verde claro por encima y de aspecto algodonoso por debajo. Las matas pueden alcanzar 1 m de altura y forman en la base unos capítulos florales terminales, recubiertos por escamas membranosas, imbricados y carnosos que constituyen la parte comestible. Presenta un rizoma (tallo subterráneo) muy desarrollado, en el que se acumulan las reservas alimenticias que elabora la planta. La reproducción se suele hacer de forma vegetativa por división de mata utilizando los retoños jóvenes de la base.

Planta de gran exigencia que requerirá de una buena fertilización y riego. Se obtiene una buena productividad durante 2 o 3 años por lo que se aconseja renovar la plantación regularmente aunque la planta pueda vivir más años. Por sus características no participará en la rotación de cultivos y la cultivaremos en un rincón o margen del huerto.

Coliflor (Brassica oleracea var. Botrytis). La coliflor es una variedad de la col con la característica principal de formar una inflorescencia prematura hipertrofiada. Las ramificaciones florales, gruesas, blancas, más o menos apretadas y muy tiernas, forman una masa que es la cabeza de la coliflor, en la cual los rudimentos de las flores están representados por pequeñas asperezas en la parte superior dando la imagen tan característica que todos conocemos. Hay bastantes diferencias según las variedades: tenemos las de grano muy apretado, que son más resistentes a la subida de la flor, mientras que otras son de tipo medio con relación a este carácter o bien de grano casi suelto que forman una superficie menos granulosa, como afelpada.

Son plantas que, como las coles, requieren de suelos bien fertilizados, riegos abundantes y agradecen un acolchado de paja. La radiación solar intensa en verano puede estropear las inflorescencias y se aconseja resguardarlas utilizando las hojas de la misma planta doblándolas sobre ellas.

Los árboles frutales

Según las dimensiones y características climáticas de nuestro huerto, podremos tener algún árbol frutal. A diferencia de las plantas hortícolas, éstos son vegetales leñosos y normalmente de larga vida, dando fruto cada año.

Hay que tener en cuenta que, para que un árbol frutal dé fruto, tiene que ser adulto, de una edad que variará según las especies, y además es necesario que esté injertado para asegurar una fructificación adecuada y de calidad.

Un injerto es una técnica especial que consiste en unir dos plantas normalmente de la misma especie pero de variedades diferentes. Una hace la función de patrón receptor y la otra de donador. La planta resultante tendrá las características aportadas por la donadora mientras que el patrón sólo aportará las raíces y parte del tronco. La finalidad de esta técnica es conseguir ejemplares con un buen sistema radicular y una parte aérea que garantice una adecuada fructificación.

Para disfrutar de un buen árbol frutal se aconseja adquirir ejemplares adultos en un vivero especializado y de confianza. Los frutales hay que escogerlos bien formados, con una buena distribución de las ramas y que no presenten rasguños en la corteza ni ramas medio rotas.
Podemos adquirirlos ya preparados para su fructificación y solo habrá que hacer algunas tareas de fertilización y podas de mantenimiento y fructificación.

Consejos básicos para la plantación

- Se realizará en general durante el invierno ya que la mayoría de frutales son de hoja caduca.

- Hacer un buen hoyo de plantación ahondando en la tierra de forma que las raíces del árbol puedan tener a su alrededor y por debajo un buen volumen de tierra bien mullida y fertilizada con compost.

- Rellenar la parte de abajo del hoyo con la tierra fertilizada, colocar el árbol rellenando los lados y comprimiendo ligeramente la tierra. Es importante dejar el nivel de tierra a ras del cuello de la planta, sin enterrar parte del tronco principal ni dejar al aire las raíces. Hay que tener especial cuidado en no dañarlas con las herramientas la corteza del tronco principal.

- Realizar un alcorque que permita el riego abundante durante las primeras semanas para favorecer un adecuado enraizamiento. Hay que realizarlo de forma que el agua no esté en contacto directo con la base del tronco.

- Procurar una distancia adecuada entre dos árboles que como mínimo sea de 4 m.

- Aportar anualmente una capa de compost y mantener el suelo con un acolchado para evitar la compactación del terreno.

- Algunos frutales fructifican mejor si disponemos de más de un ejemplar (compañeros de polinización) ya que de esta for-

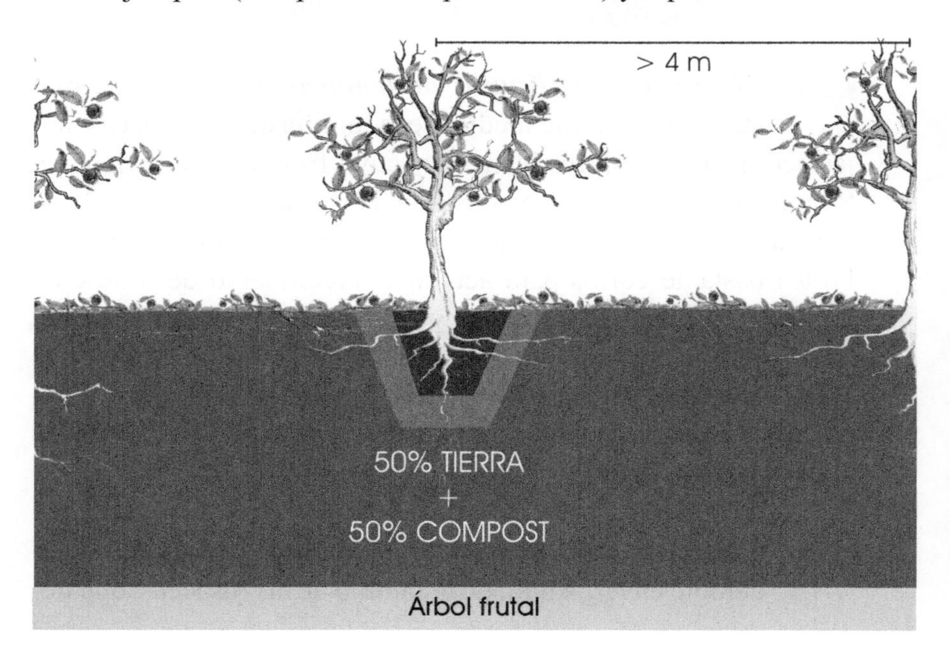

Árbol frutal

ma la polinización y formación del fruto resulta más exitosa.

- El cultivo de capuchina alrededor del tronco principal ejerce una acción protectora frente a los ataques de pulgones, cochinilla y mosca blanca.

Los frutales más fáciles de cultivar

A continuación especificamos algunos detalles referidos al cultivo, poda y fructificación de aquellos frutales que son de fácil cultivo, no dan excesivos problemas y de los cuales podemos obtener buenos resultados.

Albaricoquero (Prunus armenaica). Frutal caducifolio autofértil de porte medio, de la familia de las rosáceas, hojas acorazonadas, flores blancas, y cuyo fruto es el albaricoque. Su madera se emplea en ebanistería. Hay que hacer una poda de formación y una de rejuvenecimiento cada 3-4 años dejando los brotes bastante cortos para activar el crecimiento de brotes vigorosos y productivos. Florece y fructifica al final del invierno, tanto sobre los brotes nuevos como en los de 2-3 años. Hay que regar abundantemente en época de brotación y disminuirlo en la fructificación, es sensible a las heladas y prefiere suelos fértiles pero con buen drenaje.

Cerezo (Prunus avium). Frutal de hoja caduca de considerable envergadura, de la familia de las rosáceas, que tiene tronco liso y ramoso, copa abierta, hojas ásperas lanceoladas, flores blancas y por fruto la cereza. Su madera, de color castaño claro, se emplea en ebanistería. Se realiza una poda de formación durante 3 años y cuando el árbol es adulto se puede hacer una poda de aclareo después de la fructificación para regular el exceso de ramas cada 3 o 4 años. Su corteza es muy delgada y sensible, si se estropea puede producir la muerte de la rama. Florece y fructifica al final del invierno sobre madera vieja de 2-3 años y a partir de los 6-8 años de vida. Es básicamente autoestéril y, por lo tanto, necesitará compañero de polinización para una adecuada fructificación. Es importante controlar los ataques de pulgones. Resiste bien climas fríos si los veranos son moderadamente templados.

Ciruelo (Prunus domestica). Frutal de hoja caduca de la familia de las rosáceas, de porte medio-grande, con las hojas entre aovadas y lanceoladas, dentadas y un poco acanaladas, los ramos mochos y la flor blanca. Su fruto es la ciruela que se recolecta desde mediados de verano hasta principios de otoño. Requiere de una poda de formación y otra que haremos periódicamente para regular el crecimiento, que se puede hacer tanto en invierno como en verano (poda en verde). Resiste bien climas fríos si los veranos son moderadamente templados. Hay variedades autoestériles y autofértiles.

Cítricos (Citrus sp.). Frutales de hoja perenne, de la familia de las rutáceas, de porte pequeño-medio y autofértiles. Presentan el tronco liso y ramoso; copa abierta, hojas alternas, ovaladas, duras, lustrosas, pecioladas, de un hermoso color verde y ligeramente aromáticas sobretodo en el limonero. Su flor es el azahar, de un aroma agradable y penetrante, y sus frutos se recolectan durante el otoño. Requiere de una adecuada poda de formación y una de mantenimiento que se hace de forma ligera, a finales de invierno, vaciando el centro del árbol de ramas y aclarando algunas de las coronas externas. Al cabo de unos años se puede hacer una poda de rejuvenecimiento más severa. Requieren climas entre templados y cálidos y el viento frío les perjudica notablemente.

Granado (Punica granatum). Frutal de hoja caduca y porte pequeño, de la familia de las punicáceas, con tronco liso y tortuoso, ramas delgadas, hojas opuestas, oblongas, enteras y lustrosas, flores casi sentadas, rojas y con los pétalos algo doblados, y cuyo fruto es la granada que se recolecta a principios de otoño. Requiere una poda de formación durante 2 o 3 años y posteriormente solo habrá que realizar de vez en cuando un ligero aclareo de ramas. Florece sobre ramas nuevas, entre mayo y julio, y se recolecta durante el otoño. Es autofértil (no necesita compañero de polinización). Muy resistente a la sequía, no tolerará el exceso de riego ni suelos excesivamente húmedos, y se adapta bien a climas cálidos. Se reproducen por semillas o por esquejes aunque se hace necesario su injerto para evitar que los frutos sean amargos.

Higuera (Ficus carica). Árbol frutal de hoja caduca de la familia de las moráceas, de mediana altura, madera blanca y endeble, látex amargo y astringente. Tiene hojas grandes, lobuladas, verdes y brillantes por encima, grises y ásperas por abajo, e insertas en un pedúnculo bastante largo, flores unisexuales, encerradas en un receptáculo carnoso, piriforme, abierto por un pequeño orificio apical y que, al madurar, da una infrutescencia llamada higo. Vive bien en climas cálidos y no presenta ninguna dificultad en su cultivo tolerando todo tipo de suelos y moderando el riego sobre todo en la época de fructificación. Es muy fácil de reproducir por esquejes y no requiere poda, a lo sumo podemos cortar la yema apical para favorecer el desarrollo lateral y hacer algunos despuntes de ramas ocasionalmente.

Melocotonero (Prunus persica). Frutal caducifolio autofértil de porte medio, de la familia de las rosáceas, tiene las hojas aovadas y aserradas, las flores de color de rosa claro y el fruto es una drupa con el hueso lleno de arrugas asurcadas. Necesita una adecuada poda de formación y una anual llamada de fructificación que requiere de cierta práctica y conocimiento. El melocotonero desarrolla diferentes tipos de brotes: los leñosos (sólo con brotes vegetativos que dan hoja), los fructíferos falsos (sólo tienen botones florales y no desarrollan hojas) y los fructíferos verdaderos (con hojas y botones florales). En la poda hay que potenciar los brotes fructíferos verdaderos (dejando las ramas con unas 6-8 yemas), acortar a 3-5 yemas los leñosos y a 1-2 yemas las ramas que dolo presentan flor. Es sensible a las heladas tardías y es necesario controlar los ataques de pulgones y de un hongo llamado tafrina que deforma las hojas haciendo disminuir su productividad.

Membrillo (Cydonia oblonga). Frutal caducifolio, de porte pequeño, poco vigor y que pertenece a la familia de las rosáceas. Muy ramoso, con hojas pecioladas, enteras, aovadas o casi redondas, verdes por el haz y lanuginosas por el envés, flores róseas, solitarias, casi sentadas y de cáliz persistente, y fruto en pomo, de diez a doce centímetros de diámetro, amarillo, muy aromático, de carne áspera y granujienta, que contiene varias pepitas mucilaginosas. Es originario de Asia Menor; el fruto se come asado o se utiliza para preparar el característico membrillo. La formación se realiza durante 2 o 3 años y la poda de mantenimiento suele ser muy ligera y esporádica. Florece al principio de la primavera sobre madera de 2 o 3 años y es autofértil. Bien adaptado a climas cálidos, no requiere mucho riego y se adapta a todo tipo de suelos.

Níspero (Eriobotrya japonica). Árbol frutal de porte pequeño, de la familia de las rosáceas, de hoja perenne y que, como caso excepcional, puede reproducirse por semilla y no necesita ser injertado. Sus hojas son ovales, puntiagudas y vellosas por el envés, flores blancas con olor de almendra, y fruto amarillento, casi esférico, de unos tres centímetros de diámetro, con semillas muy gruesas, y de sabor agridulce. Originario del Japón, se cultiva en climas cálidos, resiste bien la sequía y crece bien en todo tipo de suelos. No necesita poda de formación ni de mantenimiento y es autofértil.

Las plantas acompañantes y útiles

De entre estas plantas adquieren especial importancia las aromáticas. Son vegetales que tienen esencias en todo el organismo, es decir, que tanto las raíces como el tallo, las hojas y las flores desprenden olor, normalmente agradable para nosotros. La mayoría de plantas aromáticas prefieren sitios soleados y cálidos siendo también resistentes al frío e incluso tolerando algunas heladas ocasionales: tomillo, romero, lavanda, salvia... Las hay también para espacios más sombríos y frescos: melisa, orégano, hierba luisa...

Estas plantas acostumbran a estar en los huertos ya que presentan muchas ventajas: son decorativas y fáciles de cultivar, tienen aplicaciones medicinales y culinarias, pueden favorecer los cultivos hortícolas y nos pueden servir para hacer preparados fitosanitarios o reforzantes.

En general la presencia de cualquier tipo de planta supone un beneficio para nuestro huerto, aumentando su biodiversidad y contribuyendo al equilibrio ecológico del espacio.

En este aspecto interesa potenciar el cultivo de plantas autóctonas dedicando especial atención a las que presentan floraciones destacadas, que atraen numerosos insectos polinizadores y que al mismo tiempo pueden realizar un control sobre aquellos que pueden perjudicar nuestros cultivos.

Las aromáticas

Ajenjo (Artemisia absinthium).Planta vivaz semileñosa de la familia de las compuestas, que puede alcanzar un metro de altura, bien vestida de ramas y hojas un poco felpudas, blanquecinas y de un verde claro. Es medicinal, muy amarga y algo aromática. Se adapta a cualquier tipo de suelo y no requiere de cuidados excesivos. Su reproducción se realiza mediante semillas, esquejes o por división de mata. Es habitual su uso como planta protectora.

Ajedrea (Satureja montana). Pequeña mata semileñosa de la familia de las labiadas que en invierno prácticamente se seca, pero rebrota en primavera. Hojas pequeñas y estrechamente lanceoladas, con glándulas translúcidas llenas de esencia. Flores blancas o levemente rosadas. Prefiere lugares secos y soleados, a menudo pedregosos. Florece desde mediados del verano hasta el otoño. Recortando la planta en invierno favoreceremos una buena brotada y floración de la planta.

Albahaca (Ocinum basilicum). Planta anual de la familia de las labiadas, con tallos ramosos y velludos de unos tres decímetros de altura, hojas oblongas, lampiñas y muy verdes, y flores blancas, algo purpúreas. Tiene fuerte olor aromático característico. La siembra se realiza directamente sobre el terreno de forma casi superficial, necesita riegos moderados y temperaturas algo elevadas entre 20 y 25 °C.

Espliego o lavanda (Lavandula latifolia). Pequeño arbusto de base leñosa, de la familia de las labiadas, que presenta las hojas perennes, de color verde grisáceo, estrechas y alargadas. Las flores lilas se agrupan en inflorescencias, formando una espiga terminal. Hay otras especies entre las que destacamos: *L. angustifolia* de hojas más estrechas; *L. stoechas*, con una inflorescencia compacta con dos brácteas lilas arriba del todo, y *L. dentata*, que se distingue por el margen dentado de las hojas.

Prefieren lugares secos y soleados. La floración empieza a finales de primavera y se alarga durante el verano. Se reproducen fácilmente a través de esquejes.

Hierba luisa (Lippia triphylla). Arbusto leñoso de hoja caduca que puede llegar a los 2 m de altura, de hojas lanceoladas verticiladas con un intenso olor a limón, de un color verde muy vivo. Las flores de color lila pálido o blanco se reúnen en espigas en los extremos de los tallos. Crece bien en sitios frescos y un poco húmedos, bien iluminados entre sol y sombra. Es originaria de Chile (allí recibe el nombre de cedrón), pero su cultivo se ha extendido por toda Europa. Las hojas se cogen en verano y en otoño. Requiere una buena poda en invierno para conseguir brotes tiernos y vigorosos.

Mejorana (Origanum majorana). Planta perenne con un aroma muy parecido al del orégano, pero más suave, y más fácil de cultivar que éste. Tiene utilidades culinarias y medicinales. Las matas alcanzan un tamaño de unos 60 cm. de altura, algo leñosos en la base, hojas aovadas, enteras y blanquecinas. Las diminutas flores labiadas surgen reunidas en ramilletes terminales, suelen ser blancas o rosadas. Las semillas son redondas, menudas y rojizas. La mejorana necesita un lugar soleado; si añadimos a esto un suelo suelto tendremos el éxito asegurado. En condiciones frías la planta puede también subsistir recuperándose después del invierno. En cualquier caso es conveniente recortarla desde la base a finales del invierno para que brote y florezca con fuerza. No tolera el exceso de riego como la mayoría de aromáticas.

Melisa o toronjil (Melissa officinalis). Planta herbácea vivaz de la familia de las labiadas, que alcanza los 30-

70 cm de altura. Las hojas son dentadas y muy rugosas con un olor intenso a limón, y de un color verde claro muy vivo. El tallo está recubierto de vellosidades y las pequeñas flores son blancas o rosadas. Crece bien en lugares húmedos y sombríos. Florece desde el mes de mayo y durante todo el verano. En invierno se seca la parte aérea y vuelve a rebrotar en primavera (se aconseja recortarla en invierno). La reproducimos fácilmente por división de mata y se extiende rápidamente a través de un grueso rizoma subterráneo.

Menta (Mentha sp.). Planta herbácea, vivaz, de la familia de las labiadas, con diferentes especies que se hibridan entre sí y con tallos erguidos, poco ramosos, de cuatro a cinco decímetros, hojas vellosas, elípticas, agudas, nerviosas y aserradas, flores rojizas en grupos axilares, y fruto seco con cuatro semillas. Se cultiva mucho en las huertas, es de olor agradable y se emplea en condimentos. Requiere de buenos riegos y buena exposición solar, resistente al frío y conviene recortarla pasado el invierno para favorecer una brotada vigorosa. Se extiende a través de un rizoma subterráneo y es fácil de dividir arrancando tallos enraizados.

Orégano (Origanum vulgare). Planta semileñosa muy aromática, que hace un rizoma subterráneo vivaz del cual salen los tallos derechos y ramificados de 40-60 cm de altura; en invierno la parte aérea se seca y procederemos a recortarla. El tallo y las hojas son ligeramente pubescentes. Las hojas son poco o muy ovadas con el margen liso o levemente dentado. Las flores, blancas o rojizas, se agrupan junto a unas brácteas florales de color liláceo, en inflorescencias terminales. Crece bien en sitios frescos y un poco húmedos, bien iluminados entre sol y sombra. Florece a finales de verano y principios de otoño.

Perejil (Petroselinum sativum). Planta herbácea bianual, de la familia de las umbelíferas, que crece hasta siete decímetros de altura formando una roseta basal de hojas compuestas pecioladas, con tallos angulosos y ramificados, lustrosas, de color verde oscuro, partidas en tres gajos dentados, flores blancas o verdosas y semillas menudas, parduscas, aovadas y con venas muy finas.

Espontánea en algunas partes, se cultiva mucho en las huertas, por ser un condimento muy usado. Se siembra de forma directa sobre el terreno y su germinación es lenta (hasta 25 días o más) y requiere riegos frecuentes para obtener una planta tierna. La recolección se hace cortando por la base las hojas externas de la roseta, favoreciendo así la formación de nuevas por el centro. Al cabo de unos meses se inicia el crecimiento del tallo florífero, formando una inflorescencia en forma de umbela, dando abundantes semillas de superficie estriada. Las semillas son fáciles de recoger y las podemos utilizar para una nueva siembra.

Poleo (Mentha pulegium). Planta herbácea anual, de la familia de las labiadas, con tallos tendidos, ramosos, velludos y algo esquinados, hojas descoloridas, pequeñas, pecioladas, casi redondas y dentadas, y flores azuladas o moradas en verticilos bien separados. Requiere riegos abundantes pero sin encharcamientos y se resiembra ella sola sin dificultad.

Romero (Rosmarinus officinalis). Arbusto leñoso muy denso, de hasta 1,5 m de altura, de hojas perennes, duras, lineales y margen revoluto; son de color verde oscuro por el anverso y blanquecinas por el reverso. Las flores van del color rosado al azul pálido. Prefiere lugares soleados y tierras arenosas y bien drenadas. Puede florecer durante casi todo el año. Hay una variedad postrada útil por su efecto tapizante.

Ruda (Ruta graveolens). Pequeña mata de base semileñosa y esbelta, de la familia de las labiadas, que puede llegar a los 80 cm. Las hojas son perennes y compuestas, de un color verde grisáceo, pequeñas y abundantes. Hace las flores amarillas con los cuatro pétalos en forma de capucha y con pelos en el margen. Toda la planta, y especialmente las hojas, desprende un intenso olor penetrante e inconfundible (a menudo desagradable para algunas personas). Crece bien en lugares secos y soleados, pero también tolera terrenos más sombríos y húmedos. Florece a finales de primavera y durante el verano.

Salvia (Salvia officinalis). Es una mata de tallos leñosos en la base y herbáceos en el resto, de la de la familia de las labiadas, con hojas perennes entre blanquecinas y grises, sobre todo las más viejas. Flores bilabiadas de color azul violáceo dispuestas en racimo. Prefiere lugares soleados y tierras poco fertilizadas básicamente minerales con un buen drenaje. Agradece una poda de rejuvenecimiento desde la base cada 2 o 3 años. Se reproduce muy bien por esqueje.

Santolina o abrótano hembra (Santolina chamaecyparissus). Pequeña mata leñosa muy aromática, de la familia de las compuestas, muy ramificada desde la base, de hojas perennes, recortadas, pequeñas y estrechas de color verde grisáceo. Flores tubulares agrupadas en capítulos solitarios de color amarillo intenso (sin pétalos). Prefiere suelos rústicos, con poca materia orgánica, y exposición soleada. Florece a principios del verano y se recolectan los capítulos florales en verano para secarlos y guardarlos.

Tomillo (Thymus vulgaris). Mata aromática espesa, de tamaño pequeño y tallos leñosos, de entre 10 y 30 cm de altura. Pertenece a la familia de las labiadas. Las hojas son perennes, muy pequeñas y numerosas y se encuentran a lo largo de todo el tallo. Las flores, muy numerosas, son pequeñas y blanquecinas. Prefiere suelos muy arenosos e incluso un poco pedregosos y sitios muy soleados; tolera bien el frío. Es costumbre muy poco responsable arrancar de cuajo los tomillos de la montaña para luego plantarlos sin ninguna probabilidad de éxito: los tomillos ejercen una importante acción formadora de suelo y hay que respetarlos. Se aconseja comprarlos en un vivero cuando son jóvenes y trasplantarlos al lugar donde los queramos cultivar.

Otras plantas útiles

Caléndula (Calendula officinalis). Planta herbácea anual de la familia de las compuestas de muy fácil cultivo y floración generosa. Forma pequeñas matas de unos 40 o 50 cm de altura con hojas lanceoladas, de un color verde fuerte, y ligeramente aromáticas. Las inflorescencias forman cabezuelas grandes con relación al tamaño de la planta, de colores amarillo, naranja, albaricoque y mezcla de las anteriores. La floración dura casi todo el año, depende de la siembra, pero sobre todo en verano. Los pétalos tienen aplicaciones culinarias y medicinales. Vive bien a pleno sol, en terrenos bien drenados, pero también tolera la semisombra, puede resistir hasta – 3ºC. Para garantizar una continuidad en la floración es importante cortarle las flores marchitas. Para una germinación rápida las semillas necesitan temperaturas alrededor de los 20º C y estar ligeramente cubiertas con tierra.

Capuchina (Tropaelum majus). Herbácea anual de porte rastrero que se vuelve perenne debido a su constante resiembra. Presenta hojas grandes redondeadas de un hermoso color verde-glauco, caracterizadas a menudo por un olor penetrante. Flores de color naranja o carmín oscuro, en forma de trompeta, con espuelas. Florece desde la primavera hasta el otoño. Debemos sembrarla dejando espacio suficiente para que se extienda, ya que de lo contrario invadirá a otras plantas. A menudo se planta con fines protectores debajo de los frutales. Tolera desde pleno sol a media sombra, pero el exceso de sombra inhibe la floración. Resiste en suelos secos y pobres.

Manzanilla (Matricaria chamomilla). Hierba anual de la familia de las compuestas, con tallos débiles, comúnmente echados, ramosos, de dos a tres decímetros de longitud, hojas abundantes partidas en segmentos lineales, agrupados de tres en tres, y flores olorosas en cabezuelas solitarias con centro amarillo y circunferencia blanca. Su cultivo es fácil y con pocos requerimientos, tolera tanto climas más templados como los fríos, prefiriendo riegos abundantes para su correcto desarrollo.

Tagete o copetes (Tagetes erecta). Planta herbácea anual de la familia de las compuestas, de siembra y cultivo fácil. Las hojas son opuestas, subdivididas en segmentos lanceolados o dentados y ciliados. Su floración es espectacular, con grandes inflorescencias de color amarillo o naranja, desde principios del verano hasta finales de otoño. Necesita estar a pleno sol y se adapta bien a cualquier terreno. Se multiplica fácilmente a partir de las semillas producidas en los capítulos florales, fácilmente separables cuando éstos ya se han marchitado.

La reproducción vegetal

La forma más rápida de iniciar una plantación es adquiriendo las plantas más o menos crecidas y trasplantándolas a su lugar de crecimiento definitivo. En el caso específico de las plantas propiamente hortícolas, adquiriendo plantel de hortalizas y sembrando semillas de rápida germinación (habas, guisantes, judías, rábanos, etc.) podemos iniciar sin demasiadas complicaciones nuestras plantaciones. En el ámbito de las plantas de jardín, solemos adquirirlas en pequeños tiestos que sólo habrá que trasplantar una vez tengamos preparada y fertilizada la tierra.

Una vez iniciadas las plantaciones podemos ir familiarizándonos con las técnicas más habituales de reproducción y poner en marcha nuestro pequeño vivero.

La reproducción sexual: siembra y germinación

Los vegetales tienen la particularidad de poder dividirse tanto de manera sexual como asexual.

Cuando hablamos de una reproducción sexual, ésta se lleva a cabo a partir de los órganos sexuales de la planta, situados en la flor. Los estambres constituyen la parte masculina, produciendo el polen, y el pistilo la parte femenina, donde está situado el ovario. La mayoría de las especies vegetales presentan las flores hermafroditas, es decir, que tienen en la misma flor la parte masculina y la femenina.

Algunas especies, sin embargo presentan, flores unisexuales, es decir, hay flores sólo con estambres y flores solo con pistilo. Los vegetales que presentan ambos tipos de flores en cada individuo se denominan monoicas como por ejemplo: calabacín, sandía, avellano, encina, pinos, castaño, haya... También se da el caso de vegetales que tienen los sexos separados: hay ejemplares sólo con flores masculinas y ejemplares sólo con flores femeninas; son las plantas dioicas con ejemplos como laurel, palmera, acebo, morera, lentisco, tejo...

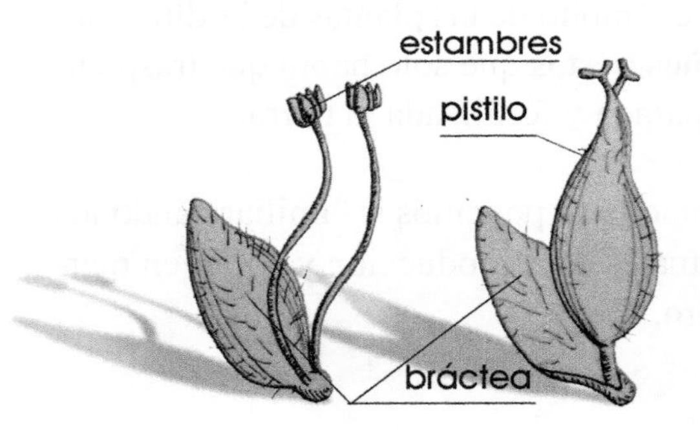

Flores unisexuales

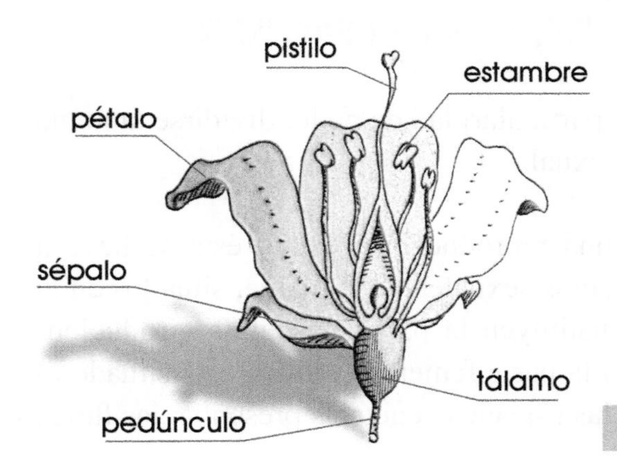

Flor hermafrodita

Finalmente podemos hablar de aquellas plantas llamadas polígamas que tienen todo tipo de flores: son polígamas y presentan flores unisexuales y hermafroditas en la misma planta como el melón, kiwi, algarrobo… o incluso plantas donde observamos ejemplares de todo tipo: plantas masculinas, plantas femeninas y plantas con flores de los dos sexos, es el caso curioso de la espinaca.

La reproducción sexual implica intercambio genético y variabilidad, de manera que los descendientes no serán nunca idénticos a ninguno de los progenitores. Este hecho ha permitido la evolución de las especies y que funcionen los mecanismos de selección natural a lo largo de la historia de la vida a la Tierra. Por contra, en un sistema como el de un huerto nos conviene controlar la naturaleza de la reproducción sexual con el fin de garantizar la obtención de plantas de calidad y productivas.

La obtención de las semillas

Cuando iniciamos un pequeño huerto siempre es mejor abastecerse de semillas adquiridas en un comercio especializado con el fin de garantizar la calidad de éstas y de las plantas resultantes. Aconsejamos la adquisición de semillas ecológicas (procedentes de cultivos ecológicos y que no han sido tratadas). Actualmente también se pueden conseguir fácilmente a través de Internet.

Cuando tengamos ya el huerto en marcha podemos plantear el cultivo de las plantas pensando en dedicar una parte de éstas para la producción de semillas. En este sentido es importante informarse previamente de las particularidades propias de cada especie para garantizar la viabilidad de las semillas.

También resulta especialmente interesante en la actualidad proteger, conservar y promover el cultivo de variedades tradicionales, propias de cada zona, con el fin de preservar la variedad genética de las plantas para evitar una uniformización genética de los vegetales. Son ya afortunadamente bastantes las iniciativas promovidas por diferentes colectivos que persiguen este fin.

La siembra

Tipos de siembra:

- ***Siembra directa***: es aquélla que realizamos directamente sobre la tierra donde las plantas harán todo su proceso vital hasta la recolección. Se hace con aquellas especies cuyas semillas germinan con mucha facilidad y no presentan problemas (leguminosas, rábanos, acelgas, espinacas…). También se efectúa este tipo de siembra con aquellas plantas de germinación más delicada pero cuyo trasplante resulta difícil (zanahorias).

- ***Siembra en semillero***: nos referimos a la que se hace en un recipiente dedicado especialmente a la siembra y que una vez la semilla ha germinado y las plántulas tienen ya un tamaño determinado se plantan en el lugar definitivo.

Preparación de un recipiente de siembra (semillero):

- ***Siembra en bandeja:***

  - Escogemos un recipiente de poca profundidad (es suficiente con unos 10-12 cm) en forma de bandeja. Puede servir cualquier recipiente reutilizado: una garrafa de plástico cortada, una bandeja de porexpan, brics o cualquier bandeja de plástico.

- Hacemos unos cuantos agujeros repartidos por la base para el correcto drenaje del agua.

- Llenamos la bandeja con un sustrato adecuado para sembrar.

- Comprimimos ligeramente la tierra de manera que se asiente bien y coja consistencia. Podemos hacerlo con una pequeña tabla de madera presionando sobre la tierra ligeramente.

- Regamos bien la tierra y dejamos drenar el agua.

- Esparcimos las semillas. Se puede hacer de diversas maneras: marcando unas líneas con pequeños surcos, separados unos 5 cm; si aquélla es muy pequeña la mezclaremos con arena y la extenderemos sobre la tierra.

- ***Siembra en multipot o en recipientes individuales:***

  - En los comercios especializados venden unas bandejas con pequeños recipientes incorporados que reciben el nombre de multipot. También podemos utilizar otros reci-

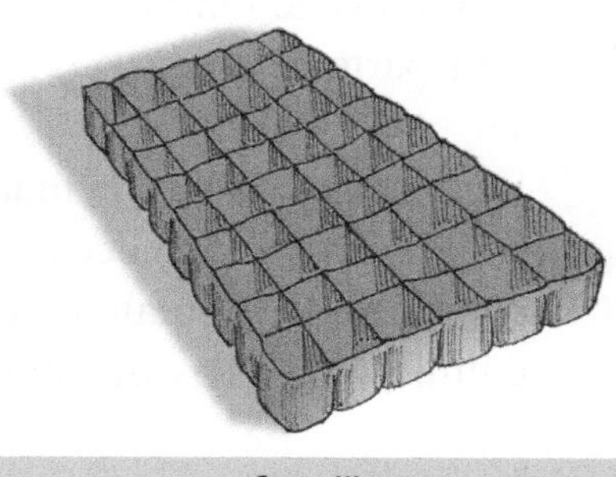

Semillero

pientes como envases de yogur o similares.

- Llenamos los recipientes.

- Sembramos y cubrimos la semilla ligeramente con el sustrato.

Preparación del sustrato para sembrar

Las semillas están en estado de letargo y presentan un metabolismo muy bajo. Cuando se entierran es importante garantizar la aireación del sustrato porque también necesitan respirar; por lo tanto, éste tendrá que ser ligero y esponjoso al mismo tiempo que permita el drenaje correcto del agua sobrante. El proceso es delicado y la plántula no tiene que encontrar resistencia para salir y empezar a crecer.

Podemos preparar nosotros mismos un sustrato de siembra de forma sencilla con la siguiente composición:

- 2 partes de fibra de coco ya hidratada y esponjada
- 2 partes de compost fino que esté maduro (se aconseja usar el humus de lombriz)
- 1 parte de arena

La fibra de coco es un material orgánico fibroso que se extrae del caparazón de los cocos y se comercializa triturado, desecado y comprimido. Actualmente se utiliza mucho en jardinería y horticultura y sólo hay que hidratarla antes de hacer la mezcla.

La germinación

Cuando la semilla queda enterrada, se empieza a activar el proceso de la germinación.
Dos son los factores básicos que hay que controlar:

la humedad y la temperatura.

Hay que mantener la tierra siempre húmeda sin que eso implique un encharcamiento, ya que este hecho impediría la oxigenación y produciría la asfixia y la muerte de la planta. Al regar, habrá que ir con cuidado para evitar que la semilla quede desenterrada. También se puede sumergir el recipiente en otro lleno de agua durante unos minutos y sacarlo posteriormente (riego por inmersión). Podemos acelerar el proceso germinativo poniendo en remojo las semillas unas horas antes de sembrarlas.

La temperatura óptima para la germinación se encuentra entre 18°C y 28°C; si la temperatura baja, el proceso se ralentiza, y, si es demasiado elevada al germinar la semilla, el crecimiento se hace muy rápidamente y el tallo no tiene bastante consistencia para aguantarse derecho. Podemos hacer la germinación en el interior, donde tenemos estas temperaturas, y una vez hayan germinado tendremos que situar las plántulas en el exterior porque necesitan más luz. Si se hace en invierno, tendremos que buscar un lugar abrigado y soleado y tapar la siembra con un plástico si la temperatura baja de 10°C. En verano siempre pondremos la siembra a la sombra: el sol podría quemar las plantitas.

La reproducción o multiplicación vegetativa

Consiste en producir una nueva planta a partir de una parte vegetativa de otra que hará las funciones de planta madre o donante. Una parte vegetativa es aquélla que no tiene una finalidad reproductiva por sí misma. A diferencia de la reproducción sexual, la vegetativa consigue plantas idénticas a la donadora ya que estamos haciendo una clonación. Si la planta donadora es de calidad, resistente y florece con abundancia, la resultante de un esqueje de ésta tendrá las mismas buenas características si recibe los cuidados y atenciones adecuadas.

Este tipo de reproducción puede ser realizado a partir de órganos especiales que desarrollan las propias plantas (bulbos, estolones, rizomas, tubérculos) o mediante técnicas específicas como la división de mata, esquejes o acodos.

Normalmente este tipo de tipo de reproducción funciona bien con plantas vivaces y leñosas de jardín pero también algunas hortalizas se reproducen por este sistema (ajo, patata, fresa, alcachofa...). Sin embargo no se recomienda su uso en plantas injertadas como muchos árboles frutales o rosales, dado que la planta resultante puede tener menos capacidad de desarrollo.

Tipos de reproducción vegetativa

1. Mediante órganos específicos:

- Bulbos (ajo, cebolla, tulipán, jacinto, ciclamen…)
- Estolones (fresa, cintas…)

- Rizoma (menta, orégano, melisa…)
- Tubérculos (patata, boniato….)

2. División de mata

Se puede realizar en plantas que desarrollan diversos tallos desde la raíz. Es bastante sencillo y sólo hay que separar uno o más tallos con raíz de la planta madre. Se hace principalmente en otoño o a principios de invierno. Esta técnica funciona bien con plantas que desarrollan rizomas, entre las cuales hay algunas aromáticas como la menta, la melisa o el orégano, y algunas de jardín como la aspidistra o la clivia. También funciona bien en otras plantas ornamentales como las cintas, los helechos, las verónicas, espatifilos y en algunas especies de arbustos como la lila, el laurel, el saúco, el avellano o el olivo. Puede favorecerse el enraizamiento de los tallos antes de separarlos de la planta madre aporcando tierra alrededor de la base y separando los tallos enraizados después de algunos meses.

División de mata

3. Esquejes o estacas

Las partes que se utilizan son fragmentos de tallo, que tienen que estar sanos y vigorosos y pertenecer al crecimiento del último año (son ideales los troncos de un diámetro alrededor de 1 o 1,5 cm).

Tipo de esquejes:

A) Estacas sin hojas: nos referimos a los esquejes de plantas leñosas de hoja caduca.

Ejemplos: saúco, rosal, tamarisco, lila, hierba luisa, celinda ...

Época: en invierno, cuando ya ha caído la hoja y la planta se encuentra en período de reposo.

Metodología:

- Cogemos ramas largas y rectas que han crecido en la pasada temporada descartando las partes extremas más delgadas.

- Cortamos en trozos de unos 15-20 cm de longitud. El corte superior lo haremos perpendicular y separado 0,5 cm del nudo; el corte inferior en bisel por debajo de un nudo a 0,2 cm aproximadamente. La estaca incluirá, pues, 2 nudos como mínimo y hasta 3 o 4 como máximo. Se pueden guardar las estacas preparadas durante 3 o 4 días en un recipiente con arena húmeda en un lugar fresco y resguardado del sol.

- Enterramos las estacas hasta 1/3 de su longitud, en el exterior, en una tierra ablandada y ligeramente fertilizada; es mejor situarlas en un sitio soleado. Hay que respetar la polaridad fijándose en la orientación de las yemas de los nudos para no poner el esqueje boca abajo.

- Mantener la tierra húmeda, procurando que no se compacte, y libre de hierbas espontáneas.

- Los esquejes, en primer lugar, arraigarán durante la segunda mitad del invierno, en primavera, brotarán, crecerán, y en otoño, les caerá la hoja.

- Se trasplantan, en otoño, aquellos esquejes vivos que hayan brotado con fuerza. Podemos manipularlos sin tierra (a raíz desnuda) procediendo a recortar las raíces y los tallos por la mitad antes de plantarlos en el lugar definitivo.

B) Estacas con hojas

Ejemplos: cualquier arbusto o árbol de hoja perenne.

Época: todo el año, pero habrá preferencias según la especie. Mayoritariamente durante el verano será la época más favorable, pero en algunos casos se podrán hacer en primavera, otoño o invierno.

Metodología:

- Escogemos ramas del mismo año, sanas y vigorosas, crecidas a la luz, que cortaremos en trozos de 7 a 15 cm aproximadamente con 2 nudos como mínimo. En algunos casos de arbustos pequeños, como los aromáticos (salvia, romero, santolina), los nudos están muy juntos y un esqueje puede tener hasta 8 o 10 nudos. El corte superior tiene que estar unos milímetros por encima del nudo y el inferior a unos milímetros por debajo de él.

- Eliminamos las hojas de la mitad inferior del esqueje estirándolas con un tirón hacia abajo. En la parte superior, dejádselas, pero cortad los brotes laterales, si los hay, que salgan de la axila de las hojas. Si las hojas son grandes, como las del laurel o el durillo, las cortamos eliminando la mitad del limbo. Las hojas son necesarias para mantener vivo el esqueje, pero no conviene dejar brotes jóvenes o mucha masa foliar porque la transpiración obliga a absor-

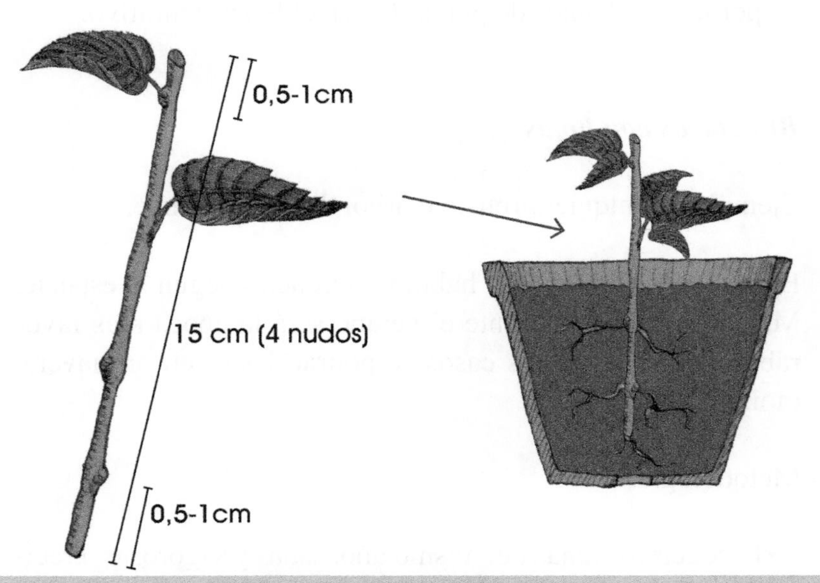

Reproducción por esquejes

ber más cantidad de agua y el esqueje no podría mantener tanta hoja.

- Plantamos los esquejes en una jardinera poco profunda (10-15 cm) a una distancia de unos 5 cm entre ellos.

- Mantenimiento: evitar los lugares secos y soleados, sobre todo en verano; mantener una cierta humedad ambiental pulverizando en agua las hojas para reducir la transpiración; regamos periódicamente sin excedernos.

- El esqueje tiene que haber arraigado en 2-3 meses y entonces ya se puede trasplantar. Las hojas siempre tienen que estar verdes: si se secan, quiere decir que no ha prosperado. Al trasplantarlas, hay que alejarlas momentáneamente del sol, si se hace en verano.

C) Acodos

Técnica que consiste en hacer enraizar una parte del tallo de una planta sin separarlo de la planta donadora. Se practica una incisión en la corteza de la rama de forma que extraemos un anillo de la corteza más externa. Esta zona se recubre con una bolsa llena de sustrato vegetal húmedo (puedes ser fibra de coco o compost) que hay que mantener húmedo con el fin de estimular la emisión de raíces. Una vez desarrolladas las raíces, se corta el tallo y se planta para que se desarrolle una nueva planta. Este tipo de acodo se llama aéreo y se utiliza en árboles frutales como el limonero, higuera, níspero o plantas de jardín como los lilos, camelias, ficus, azaleas, etc.

Otra modalidad de acodo es el subterráneo, que consiste en doblar una rama larga y flexible de modo que quede una parte en forma de arco enterrada en el suelo, estimulándose así la formación de raíces. Se utiliza en plantas leñosas de porte rastrero (juníperos, escalonias, romero rastrero, etc), plantas de ramas flexibles (vid, rosales, budleias, etc.) y plantas de ramificación baja (azaleas, salvia, hierba luisa, forsitia, etc.).

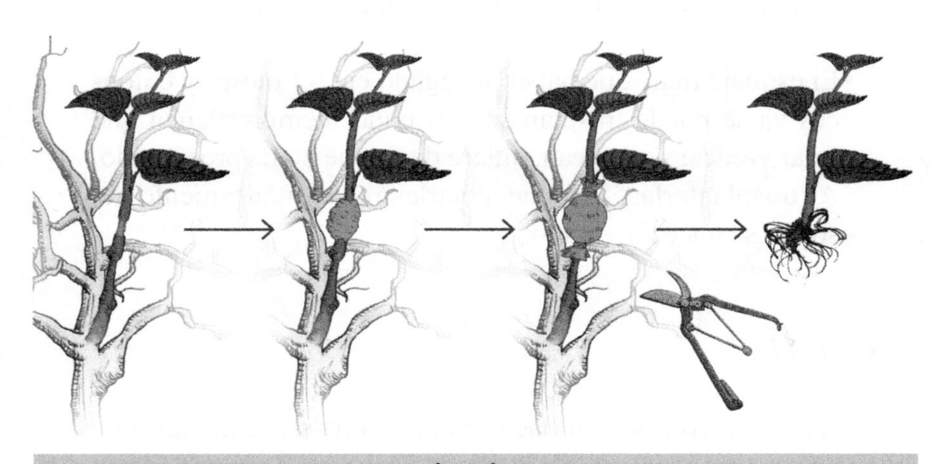

Acodos

Organización de la plantación

A la hora de plantear la planificación de los cultivos desde una perspectiva ecológica, también resulta interesante y enriquecedor fijarnos en cómo la naturaleza distribuye las especies vegetales y la relación que se establece entre ellas en el espacio donde habitan. Las plantas que crecen de manera espontánea en el campo no lo hacen agrupadas por especies sino que en un espacio determinado conviven varias de ellas formando comunidades y se distribuyen según su porte y sistema radicular (hay raíces más profundas y pivotantes y otras más superficiales y ramificadas), sus necesidades nutritivas, las de luz y la compatibilidad entre ellas. Este conjunto de varias especies que comparten un espacio recibe el nombre de asociación vegetal y determina un correcto funcionamiento del ecosistema.

En estas asociaciones habrá plantas de todo tipo: anuales, vivaces y leñosas. En el caso de las primeras, que completan su ciclo en pocos meses, irán cambiando según la temporada o la época del año y según las características microclimáticas del lugar. También se puede dar el caso de que algunas especies desaparezcan porque han cambiado las condiciones ambientales (calidad del suelo, iluminación, temperatura...) y aparezcan otras. Hablamos, en estos casos, de una variabilidad a lo largo del tiempo que llamaremos sucesión.

Estos procesos naturales también tienen su traducción en nuestro cultivo biológico, con las correspondientes diferencias, porque nosotros queremos un sistema mucho más productivo que el que tenemos en la naturaleza. Hablamos, entonces, de establecer unos mecanismos de asociaciones de plantas y de un sistema de sucesión al que llamaremos rotación, ya que al plantar las especies sucesivamente en diferentes parcelas volveran a ser plantadas en el espacio que ocuparon hace 2, 3 o 4 años.

LOS PUNTOS CLAVES

Para organizar la plantación, tendremos que tener en cuenta:

- calendario de siembra, trasplante y recolección
- cuadro de compatibilidad entre especies
- sistema de rotación de cultivos que aplicamos
- cuadro de requerimiento de luz

Calendario de siembra, trasplante y recolección

Explicación, funcionamiento y usos del calendario

Observamos dos listas de plantas: las hortícolas y las acompañantes (aromáticas y otras). Para cada planta se especifica:

- Si es **anual**, **bianual**, **vivaz** o **leñosa**.
- **Tiempo de germinación**: el que transcurre desde que ponemos la semilla en la tierra hasta que la plántula sale a la superficie.
- **Profundidad de siembra de la semilla**: importante para su

correcta germinación y desarrollo posterior de la plántula.

- **Duración del ciclo hasta su recolección**: consta de dos cifras, la primera se refiere al tiempo transcurrido desde la siembra hasta la recolección (ya sea del fruto, de la hoja, de la raíz o del bulbo); la segunda se refiere al tiempo transcurrido desde el transplante hasta la recolección (a menudo compramos las plántulas y hemos prescindido de la siembra).
  Encontraremos sólo una cifra en dos casos: en aquellas plantas que se reproducen habitualmente de manera vegetativa (alcachofa, fresa) y en aquéllas cuya siembra es directa y no se suele hacer trasplante (acelga, haba, judía ...).
- **Marco de plantación**: también consta de dos cifras, la primera para referirse a la distancia entre plantas y la segunda es la que tiene que haber entre hileras. Son distancias orientativas calculadas en base al tamaño que adquiere la planta cuando está crecida. Aquéllas que necesitan más distancia son normalmente las de ciclo más largo lo que permite intercalar otras plantas más pequeñas y de ciclo más corto optimizando y rentabilizando al máximo el espacio (siguiendo siempre los criterios de asociación y rotación de cultivos y atendiendo las necesidades de luz).
- **Las épocas de siembra, trasplante y recolección**: cada planta dispone de tres franjas: cuando la primera está sombreada estamos en la época de siembra; cuando lo está la segunda, en la de trasplante; cuando lo está la tercera, en la de recolección.

Son períodos más o menos adaptados a una climatología con inviernos suaves, donde las heladas son ocasionales, y los veranos calurosos, pero se pueden modificar según las condiciones propias de cada zona o adaptarse a los condicionantes microclimáticos de cada espacio (por ejemplo, en un lugar urbanizado y muy soleado podremos avanzar los períodos de siembra y trasplante de las plantas de verano, como los pimientos, las berenjenas y los tomates; si el lugar es sombrío y frío, tendremos que retrasar algún período, si las plantas necesitan sol).

Los períodos de trasplante también se refieren a la época en la cual podremos encontrar el plantel en el comercio para hacer la plantación directamente sin haber realizado la siembra.

En el caso del ajo y la patata, lo que habitualmente recibe el nombre de siembra es en realidad una plantación a partir de un órgano vegetativo de la planta (bulbo y tubérculo). El hecho de ir enterrado hace que popularmente se considere una siembra, aunque no sea de semilla.

En los casos en que no se ha marcado el período de trasplante, es por el hecho de que son plantas de siembra directa y que, por lo tanto, no se trasplantan. Por otra parte si lo que no está marcado es el período de siembra, quiere decir que son plantas que se reproducen de forma vegetativa.

En algunas plantas aromáticas, el período de trasplante también coincide con la época más favorable para hacer la reproducción vegetativa (esquejes, división de mata, tallos con raíz, etc.). La recolección de estas plantas se hace con finalidades medicinales, decorativas o culinarias.

● ● ● : siembra en semillero
● ● ● : siembra directa
▲ ▲ ▲: plantación de tubérculos o bulbos
▲ ▲ ▲: trasplante
■ ■ ■ : esquejes, división o trasplante de plantas aromáticas o vivaces
■ ■ ■ : recolección
◊◊◊◊◊◊ : floración de plantas aromáticas o útiles

A: Anual; B: Bianual; V: Vivaz; L: Leñosa
TG: tiempo de germinación (días); PS: profundidad de siembra (cm); DC: duración del ciclo (días); MP: marco de plantación (cm)

PLANTA		TG	PS	DC	MP	INVIERNO	PRIMAVERA	VERANO	OTOÑO
ACELGA	A	9	2-3	90	25x40				
AJO	A	10	4	180	10x15				
ALCACHOFA	V	/	/	90	80x80				
BONIATO	A	/	/	120/75	25x25				
APIO	B	20-25	0,2	120/75	25x25				
BERENJENA	A	15	1-2	135/90	40x40				

CALABACÍN	A	8	2-3	75	80x80
CEBOLLA	A	10	0,5	180/120	10x25
COL DE VERANO	A	6	0,5-1	120/90	40x40
COL DE INVIERNO	A	6	0,5-1	120/90	40x40
COLIFLOR	A	6	0,5-1	120/90	40x40
ESCAROLA	A	10	0,3	90/60	20x35
ESPINACA	A	7	1-3	90	10x20
FRESA	V	/	/	200/90	30x30
GUISANTE	A	5-10	3	120	20x40
HABA	A	15	4-6	180	30x40
JUDÍA	A	7	2-5	90	30x40
LECHUGA	A	7	0,5	90/60	25x30
PATATA	A	X	X	120	30x40
PEPINO	A	5-8	1-2	60	40x100

● ● ● : siembra en semillero
● ● ● : siembra directa
▲ ▲ ▲: plantación de tubérculos o bulbos
▲ ▲ ▲: trasplante
■ ■ ■ : esquejes, división o trasplante de plantas aromáticas o vivaces
■ ■ ■ : recolección
◊◊◊◊◊◊ : floración de plantas aromáticas o útiles

A: Anual; B: Bianual; V: Vivaz; L: Leñosa
TG: tiempo de germinación (días); PS: profundidad de siembra (cm); DC: duración del ciclo (días); MP: marco de plantación (cm)

PLANTA		TG	PS	DC	MP	INVIERNO	PRIMAVERA	VERANO	OTOÑO
PIMIENTO	A	10-12	0,5	120/75	30x40	●●●●●●●	●● ▲▲▲▲▲▲ ■■	■■■■■■■■	■■■
PUERRO	A	13	0,3	210/150	10x25	●●●●●●●●● ■■■■■■■■■	●●●●● ▲▲▲▲▲▲	■■■■■■ ●●	●●●● ▲▲▲▲▲▲ ■■■
RÁBANO	A	5	2	40	10x20	●●●●●●●●● ■■■■■■■■■	●●●●●●●●● ■■■■■■■■■	●●●●●●●●● ■■■■■■■■■	●●●●●● ■■■■■■■■■
TOMATE	A	5-8	0,5-1,5	145/75	40x50	●●●●●●	▲▲▲▲▲▲▲▲▲ ■■	■■■■■■■■■	■■■■■■■■
ZANAHORIA	B	10-18	0,1	75	5x20	●●●●●●●●● ■■■■■■■■■	●●●●●●●●● ■■■■■■■■■	●●●●●●●●● ■■■■■■■■■	●●●●●●●●● ■■■■■■■■■
AROMÁTICAS									
AJEDREA	V	10-15	0,2	/	30x30	●●●●●●●●●	●●●●●●● ■■■■■■■■■	◊◊◊◊◊◊ ◊◊◊◊◊◊	◊◊◊◊◊◊ ◊◊◊◊◊◊

AJENJO	V	10-15	0,2	/	50x50
ALBAHACA	A	15	0,2	120	20x20
ESPLIEGO / LAVANDA	L	15-20	0,1	/	50x50
HIERBA LUISA	L	8-10	0,3	/	100x100
MEJORANA	V	10-15	0,2	/	30x30
MELISA	V	8-10	0,2	/	40x40
MENTA	V	8-10	0,2	/	40x40
ORÉGANO	V	10-15	0,2	/	40x40
PEREJIL	B	25	0,5-1	/	30x30
POLEO	V	8-10	0,2	/	30x30
ROMERO	L	15-20	0,2	/	50x50
RUDA	L	15-20	0,2	/	40x40
SALVIA	L	15-20	0,5	/	50x50
SANTOLINA	L	15-20	0,1	/	30x30

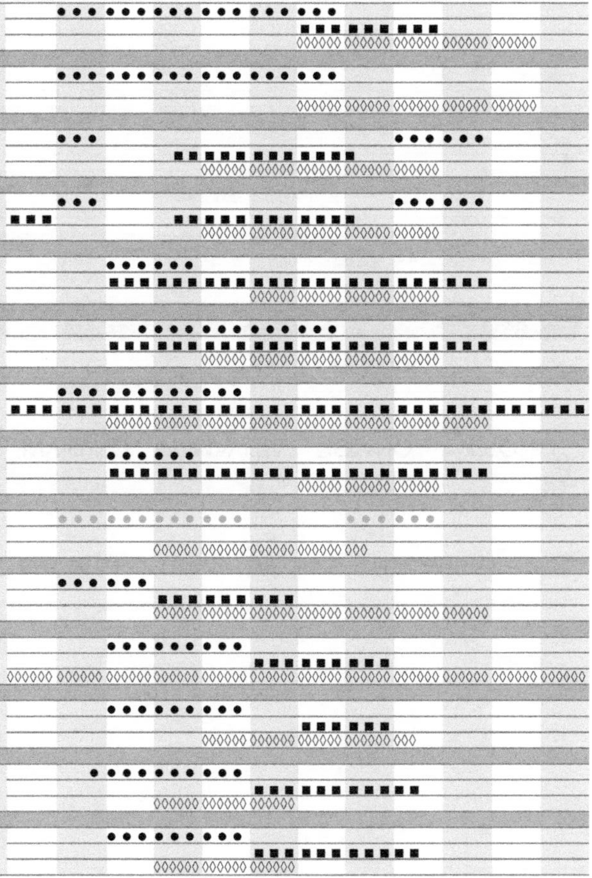

● ● ● : siembra en semillero
● ● ● : siembra directa
▲ ▲ ▲: plantación de tubérculos o bulbos
▲ ▲ ▲: trasplante
■ ■ ■ : esquejes, división o trasplante de plantas aromáticas o vivaces
■ ■ ■ : recolección
◊◊◊◊◊◊ : floración de plantas aromáticas o útiles

A: Anual; B: Bianual; V: Vivaz; L: Leñosa
TG: tiempo de germinación (días); PS: profundidad de siembra (cm); DC: duración del ciclo (días); MP: marco de plantación (cm)

PLANTA		TG	PS	DC	MP	INVIERNO	PRIMAVERA	VERANO	OTOÑO
TOMILLO	L	20-25	0,1	/	20x20				
CALÉNDULA	A	8-10	0,2	120	30x30				
CAPUCHINA	A	10-15	0,5-2	120	40x40				
MANZANILLA	A	8-10	0,2	120	30x30				
TAGETE	A	10-15	0,2	120	20x20				

Compatibilidad entre especies

Es importante tener en cuenta la compatibilidad entre las plantas. Algunas especies se favorecen entre ellas mientras que otras se perjudican, estableciéndose unas relaciones de competencia determinadas por las necesidades nutritivas o por los efectos de determinadas sustancia secretadas por las raíces. Durante mucho tiempo se han hecho observaciones sobre el comportamiento de plantas del huerto y el jardín cuando éstas comparten un mismo espacio y se han establecido grupos afines por un lado (hablamos entonces de una relación o asociación positiva o favorable), y grupos no afines por otro (considerando entonces una relación o asociación negativa o incompatible).

La tabla que mostramos a continuación recoge las interacciones observadas entre diferentes plantas del huerto y algunas del jardín. Las asociaciones compatibles se indican especificando si la relación es favorable o muy favorable; las asociaciones incompatibles se indican especificando si la relación es desfavorable o muy desfavorable. Si la relación entre plantas es neutra, el recuadro de intersección aparece en blanco. También hay que entender que el crecimiento y el desarrollo correctos de una planta dependen de muchos factores y éste es uno más, que puede influir, pero tampoco es determinante con respecto al éxito o al fracaso.

	Acelga	Ajedrea	Ajo	Albahaca	Alcachofa	Apio	Berenjena	Boniato	Calabacín	Caléndula	Capuchina	Cebolla	Col	Coliflor
ZANAHORIA	✓		✔			✗	✓	✓				✔	✓	✓
TOMATE	✓		✔	✓		✔		✗	✓	✓	✓	✔	✓	✓
TAJETE								✓						
SALVIA														
ROSAL			✓											
ROMERO														
RÁBANO	✓		✗			✓	✓	✓			✓		✓	✓
PUERRO			✘			✔	✓	✓				✓	✓	✓
PIMIENTO	✓		✔	✓				✗					✔	✔
PEREJIL						✗	✗							
PEPINO			✓	✓		✓		✗				✓	✓	✓
PATATA			✓			✗	✓		✓		✓		✔	✔
MENTA								✓					✓	✓
MANZANILLA						✓		✓				✓	✓	✓
LECHUGA			✔				✓		✓			✔	✔	✔
JUDÍA	✓	✓	✗	✓	✗	✓	✓	✓	✓			✗	✓	✓
HABA			✘					✔						
GUISANTE			✘		✗				✓			✘	✓	✓
FRESA			✔									✔	✘	✘
ESPINACA						✓	✓						✓	✓
ESCAROLA			✓				✓					✓	✓	✓
COLIFLOR	✓		✗			✔		✔				✓		
COL	✓		✗			✔	✓	✔				✓		
CEBOLLA		✓					✓		✓				✓	✓
CAPUCHINA								✓	✓					
CALÉNDULA							✓							
CALABACÍN								✓			✓	✓		
BONIATO														
BERENJENA			✓			✓		✓		✓		✓	✓	✓
APIO							✓	✗					✔	✔
ALCACHOFA														
ALBAHACA			✓											
AJO				✓			✓						✗	✗
AJEDREA												✓		
ACELGA													✓	✓

✔: Asociación muy favorable
✓: Asociación favorable
✗: Asociación desfavorable
✘: Asociación muy desfavorable

Compatibilidad entre especies

	Escarola	Espinaca	Fresa	Guisante	Haba	Judía	Lechuga	Manzanilla	Menta	Patata	Pepino	Perejil	Pimiento	Puerro	Rábano	Romero	Rosal	Salvia	Tajete	Tomate	Zanahoria
ZANAHORIA				✓		✓	✓			✓				✓	✓	✓		✓		✓	
TOMATE		✓		✓		✓	✓		✓	✗	✗	✓		✓	✓				✓		✓
TAJETE										✓							✓			✓	
SALVIA																					✓
ROSAL																			✓		
ROMERO																					✓
RÁBANO		✓	✓	✓		✓	✓			✓	✓		✓	✗						✓	✓
PUERRO	✓	✓	✓	✗	✗	✗	✓	✓		✓	✓	✓	✓		✗					✓	✓
PIMIENTO		✓		✓		✓	✓			✗				✓	✓						
PEREJIL														✓						✓	
PEPINO			✗	✓		✓	✓			✗					✓					✗	
PATATA		✓			✓	✓		✓	✓		✗		✗	✓	✓				✓	✗	✓
MENTA										✓										✓	
MANZANILLA										✓				✓							
LECHUGA		✓	✓	✓	✓	✓					✓		✓	✓	✓					✓	✓
JUDÍA		✓	✓	✗			✓			✓	✓		✓	✗	✓					✓	✓
HABA		✓				✗	✓			✓				✗							
GUISANTE		✓				✗	✓				✓		✓	✗	✓					✓	✓
FRESA		✓				✓	✓				✗			✓	✓						
ESPINACA	✓		✓	✓	✓	✓	✓						✓	✓	✓					✓	
ESCAROLA		✓												✓							
COLIFLOR	✓	✓	✗	✓		✓	✓	✓	✓	✓	✓		✓	✓	✓					✓	✓
COL	✓	✓	✗	✓		✓	✓	✓	✓	✓	✓		✓	✓	✓					✓	✓
CEBOLLA	✓		✓	✗		✗	✓	✓			✓			✓						✓	✓
CAPUCHINA										✓					✓					✓	
CALÉNDULA																				✓	
CALABACÍN						✓	✓			✓											
BONIATO				✓																	
BERENJENA	✓	✓				✓	✓			✓	✗			✓	✓						✓
APIO		✓				✓		✓		✗	✓	✗		✓	✓					✓	✗
ALCACHOFA				✗		✗															
ALBAHACA						✓					✓		✓							✓	
AJO	✓		✓	✗	✗	✗	✓				✓		✓	✗	✗		✓			✓	✓
AJEDREA						✓															
ACELGA						✓							✓		✓					✓	✓

Sistemas de asociación y rotación de cultivos

Aplicando un sistema de rotación junto con una asociación correcta de las especies, optimizaremos tanto la ocupación del espacio (muchas veces escaso en nuestros huertos familiares) como el aprovechamiento de los recursos de la tierra.

De hecho, son sistemas que en cierta medida aplicamos muchas veces sin darnos cuenta de ello: por ejemplo, si empezamos a plantar sin haber planificado los cultivos, iremos cambiando de cultivo según la época del año y plantaremos sucesivamente en diferentes espacios a veces sin pensarlo previamente y así sucesivamente. Sin entrar en excesivas complicaciones detallaremos a continuación dos métodos de rotación sencillos y prácticos. Estos sistemas de rotación no tienen que ser aplicados siempre a rajatabla y admiten cierta flexibilidad, pudiendo introducir cambios relacionados con la asociación compatible dando sin embargo preferencia a las plantas titulares o protagonistas de la parcela.

Para hacer una rotación planificada, hay que organizar el espacio en parcelas de cultivo. Una de las propuestas descritas en el apartado dedicado a la organización del espacio distribuía las plantaciones en cuatro parcelas, dejando entre ellas zonas de paso y de trabajo con el fin de no pisar la tierra donde crecen las plantas.

Cada parcela tendrá su número y estableceremos las plantaciones siguiendo el calendario de cultivo, empezando a contar desde el otoño aprovechando la finalización de los cultivos de verano. Cada otoño se procederá a la rotación; es decir, los cultivos que se habían hecho en la parcela 1 se harán en la 2, los de la 2 en la 3, los de la 3 en la 4 y los de la 4 en la 1. La rotación completa durará 4 años y, por este motivo, hablamos de rotación cuatrienal.

Sistema de rotación 1: por familias botánicas

Este sistema es el que se conoce como el método Gaspar Caballero de Segovia haciendo referencia al que lo ideó y comprobó su eficiencia. Los cultivos se organizan agrupándolos según las familias a las cuales pertenecen las especies:

- **Parcela 1**
  - Solanáceas: tomates, pimientos, berenjena
- **Parcela 2**
  - Umbelíferas: zanahoria, apio, perejil.
  - Liliáceas: cebollas, puerros, ajos.
- **Parcela 3**
  - Compuestas: lechugas, escarolas.
  - Quenopodiáceas: acelgas y espinacas.
  - Cucurbitáceas: pepinos y calabacín.
- **Parcela 4**
  - Leguminosas: judías, guisantes, habas.
  - Crucíferas: coles, rábanos, coles, coliflor...

Para iniciar este método, seguiremos los pasos siguientes:

- Delimitamos las parcelas.
- Preparamos la tierra tal como se explica en el apartado correspondiente.
- Plantamos siguiendo el calendario de cultivo y buscando las

asociaciones favorables o muy favorables entre las plantas de las correspondientes familias:

- Parcela 1: no tocará plantar hasta finales de invierno, pero dejaremos la tierra preparada para que se vaya fertilizando, y cubierta con un acolchado. En este caso sólo podremos hacer una plantación al año ya que son plantas de fruto y por lo tanto de ciclo más largo.

- Parcela 2: podremos hacer, por ejemplo, 2 o 3 cosechas de zanahorias ya que son de ciclo más corto; 1 o 2 de cebollas, y 1 del resto de plantas.

- Parcela 3: a finales del verano, podremos sembrar las espinacas y las acelgas; podemos plantar lechugas cada 2 o 3 meses y, de cara al buen tiempo, los pepinos y los calabacines.

- Parcela 4: sembraremos las habas y los guisantes a finales del verano o principios de otoño, y también las coles y las coliflores; éstas últimas también se podrán plantar de nuevo más adelante ya que hay variedades de verano.

Funcionamiento de la rotación:

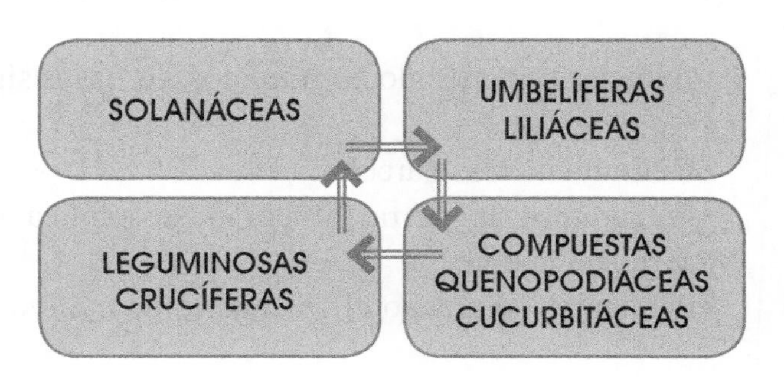

	año 1	año 2	año 3	año 4
Parcela 1	Solanáceas	Leguminosas Crucíferas	Compuestas Quenopodiáceas Cucurbitáceas	Umbelíferas Liliáceas
Parcela 2	Umbelíferas Liliáceas	Solanáceas	Leguminosas Crucíferas	Compuestas Quenopodiáceas Cucurbitáceas
Parcela 3	Compuestas Quenopodiáceas Cucurbitáceas	Umbelíferas Liliáceas	Solanáceas	Leguminosas Crucíferas
Parcela 4	Leguminosos Crucíferas	Compuestas Quenopodiáceas Cucurbitáceas	Umbelíferas Liliáceas	Solanáceas

Sistema de rotación 2: según el grado de exigencia nutritiva

Tanto las plantas hortícolas como las acompañantes pueden clasificarse según sus necesidades nutritivas para así administrar correctamente su abonado.
En la tabla siguiente tenemos las plantas de cada grupo junto con las observaciones relacionadas con la fertilización de la tierra donde crecen.

Cuando planteamos un sistema de rotación atendiendo a esta característica hemos de tener en cuenta que sólo participarán de ella las plantas de ciclo anual (mayoritariamente las hortícolas y algunas otras como los tajetes o caléndulas) quedando excluidas las vivaces y leñosas.

PLANTAS ALTAMENTE EXIGENTES (muy consumidoras de nutrientes)	PLANTAS MEDIANAMENTE EXIGENTES (consumidoras medias)	PLANTAS DE BAJA EXIGENCIA (poco consumidoras y mejoradoras del suelo las leguminosas)
ALBAHACA ACELGA APIO BONIATO CALABACÍN COL/COLIFLOR PATATA PEPINO PUERRO TOMATE ALCACHOFA (V) FRESA (V) MELISA (V) MENTA (V)	AJO BERENJENA CEBOLLA CALÉNDULA CAPUCHINA ESPINACA LECHUGA MANZANILLA PEREJIL PIMIENTO POLEO RÁBANO TAJETE ZANAHORIA HIERBA LUISA (L) MEJORANA (V) RUDA (L)	ESCAROLA GUISANTE HABA JUDÍA AJENJO (V) AJEDREA (L) LAVANDA (L) ORÉGANO (V) ROMERO (L) SANTOLINA (L) SALVIA (L) TOMILLO (L)
Necesitan un terreno bien fertilizado previamente con abono verde o compost y complementado con algún abono orgánico concentrado de origen animal. Toleran aportaciones orgánicas parcialmente descompuestas (compost fresco).	Una fertilización moderada a base de compost es suficiente.	No requerirán un aporte de fertilizante si el terreno ha sido fertilizado la temporada pasada.

(V): planta vivaz (L): planta leñosa

Funcionamiento de la rotación:

	año 1	año 2	año 3	año 4
Parcela 1	AE	ME	BE	Abono verde (opcional)
Parcela 2	ME	BE	Abono verde (opcional)	AE
Parcela 3	BE	Abono verde (opcional)	AE	ME
Parcela 4	Abono verde (opcional)	AE	ME	BE

AE : Plantas altamente exigentes
ME : Plantas medianamente exigentes
BE : Plantas de baja exigencia

La parcela dedicada al abono verde puede no hacerse si la parcela que recibe los cultivos altamente exigentes ha sido fertilizada con los abonos más concentrados. En este caso la rotación sería de sólo 3 años.

Requerimientos de intensidad de luz

Todas las plantas necesitan luz para crecer y desarrollarse. En el caso del huerto, tanto las que cultivamos como las acompañantes necesitan bastante luz y, en muchos casos, la incidencia directa de los rayos de sol.

Si el cultivo se hace en una zona abierta no urbanizada, diríamos que todas las plantas reciben la luz solar uniformemente y, normalmente, las mismas horas de sol o de sombra. En un medio urbanizado la cosa cambia, y hay que tenerlo en cuenta, tal y como apuntábamos anterormente.

Si tenemos un espacio con zonas con poca insolación directa, más sombrías, tendremos que cultivar preferentemente plantas que toleren mejor la sombra; éstas, sin embargo, también crecerán bien al sol. Eso lo tendremos que tener en cuenta especialmente durante el período invernal.

Distribución de les plantas según el requerimiento de luz

SOL	SOMBRA PARCIAL	SOMBRA
AJO	BERENJENA	ACELGA
ALBAHACA	CAPUCHINA	APIO
ALCACHOFA	ESCAROLA	COL
CALABACÍN	GUISANTES	COLIFLOR
CALÉNDULA	HABAS	ESPINACA
CEBOLLA	HIERBA LUISA	LECHUGA
FRESA	MELISA	PUERRO
JUDÍA	MENTA	RÁBANO
LAVANDA	ORÉGANO	RUDA
MEJORANA	PATATAS	
PEPINO	PUERROS	
PEREJIL		
PIMIENTO		
ROMERO		
SALVIA		
TAGETE		
TOMATE		
ZANAHORIA		
Necesitan de la luz solar directa pero cuando esto conlleva temperaturas excesivamente altas puede verse afectado su desarrollo siendo conveniente instalar un sistema de sombreo.	Necesitan buena intensidad de luz, mejor con incidencia directa de los rayos del sol, pero tolerarían condiciones de sombra, o menos intensidad de luz, durante algunas horas.	Plantas que no tienen tanta necesidad de incidencia solar directa y que podrían crecer en condiciones de sombra siempre y cuando la luz se distribuya uniformemente por el espacio.

Programación de la plantación

Pasos que hay que seguir para programar la plantación

1. Escoger un sistema de rotación.
2. Dividir el huerto en parcelas.
3. Mirar el calendario de cultivo.
4. Hacer una lista de las plantas adecuadas a la época del año en cuestión y llenar la tabla siguiente tal como vemos en el ejemplo.

EJEMPLO DE TABLA DE CULTIVO DE OTOÑO

Especie	Familia	Grupo	Siembra directa/plantel	Exigencia nutritiva	Sol / sombra	Asociaciones favorables/ desfavorables con plantas del mismo período	Duración del ciclo (días)	Marco de plantación (cm)
AJO	Liliáceas	Bulbo	S	Media	Sol	(+) lechuga, escarola, fresa (-) col, guisante, rábano	180	10x15
ACELGA	Quenopodiáceas	Hoja	S o P	Alta	Sombra	(+) col, zanahoria, rábano	90	25x40
COLIFLOR	Crucíferas	Flor	P	Alta	Sombra	(+) acelga, lechuga, espinaca, zanahoria, guisante, rábano (-) ajo, fresa	120/ 90	40x40
ALCACHOFA	Compuesta	Flor	P	Alta	Sol	(-) guisante	75	80x80
ESCAROLA	Compuesta	Hoja	P	Baja	Sol	(+) ajo	90/ 60	20x35

EJEMPLO DE TABLA DE CULTIVO DE OTOÑO

Especie	Familia	Grupo	Siembra directa/plantel	Exigencia nutritiva	Sol / sombra	Asociaciones favorables/ desfavorables con plantas del mismo período	Duración del ciclo (días)	Marco de plantación (cm)
COL	Crucíferas	Hoja	P	Alta	Sombra	(+) acelga, lechuga, espinaca, zanahoria, guisante, rábano	120/ 90	40x40
LECHUGA	Compuesta	Hoja	P	Media	Sombra	(+) ajo, col, fresa, zanahoria, guisante, rábano	90/ 60	25x30
ESPINACA	Quenopodiáceas	Hoja	S	Media	Sombra	(+) col, haba, fresa, judía, patata, guisante, rábano	90	10x20
HABA	Leguminosas	Fruto	S	Baja	Sol	(+) espinaca	180	30x40
ZANAHORIA	Umbelíferas	Raíz	S	Media	Sol	(+) ajo, acelga, col, lechuga, guisante, rábano	75	5x20
GUISANTE	Leguminosas	Fruto	S	Baja	Sol/ sombra	(+) col, lechuga, espinaca, zanahoria, rábano (-) ajo, alcachofa	120	20x40
RÁBANO	Crucíferas	Raíz	S	Media	Sombra	(+) acelga, col, lechuga, espinaca, fresa, zanahoria, guisante (-) ajo	40	10x20

5. Hacer un plano a escala de las parcelas.

6. Distribuir las plantas según el sistema de rotación escogido (por familias o por nivel de exigencia nutritiva).
7. En cada parcela, hacer la combinación adecuada teniendo en cuenta:

- La compatibilidad con otras especies adecuadas a la época.

- El porte de la planta (combinar plantas de porte más bajo y ancho, como la lechuga, por ejemplo, con otras de porte más alto y estrecho como es el caso del ajo y que, además, sean compatibles).

- La exigencia con respecto a la insolación: distribuir las plantas en función de si hay una zona más soleada que otras o también prever la posibilidad de que unas estén a la sombra de otras.

- Ver qué plantas podemos sembrar directamente y cuáles requieren de siembra en semillero para su posterior trasplante o bien las adquirimos en forma de plantel en un comercio especializado.

8. Representar la distribución de las plantas en el plano de la parcela teniendo en cuenta el tamaño para representar el espacio que ocuparán.

9. Conseguir las semillas o plantel de cada especie.

10. Llevar a cabo la plantación.

Cómo plantar

A) De semilla (siembra directa)

- Para semilla grande (haba, guisante, judía):

  - Regamos ligeramente el día anterior, la tierra quedará mejor asentada y facilitará la siembra.

  - Marcar en la tierra los puntos donde pondremos la semilla, respetando el marco de plantación (se puede hacer, por ejemplo, con un poco de harina).

  - Utilizamos el plantador marcando una línea con rotulador permanente en el plantador, para señalar la profundidad a la cual va la semilla.

  - Hacemos los hoyos para ir poniendo la semilla. A menudo se ponen 3 o 4 semillas por agujero, a fin de que se forme una planta en forma de mata con diferentes tallos, con lo cual se aprovecha mejor el espacio y se proporciona más consistencia en la planta. Es habitual este sistema en habas, guisantes y judías. Apretar la tierra una vez puestas las semillas.

  - Señalamos con unos bastoncillos los puntos exactos donde se han depositado las semillas.

  - Regar a menudo para favorecer la germinación.

- Para semilla pequeña (zanahoria, rábano, acelga, espinacas):

  - Regamos igualmente el día anterior.

  - Marcamos con la punta del plantador una o diversas líneas haciendo pequeños surcos, según profundidad de siembra) y dejando una distancia entre ellas según el marco de plantación.

  - Repartimos de forma homogénea las semillas en el surco y lo tapamos presionando ligeramente. Al tratarse de semillas pequeñas habitualmente sembramos más cantidad de las que finalmente harán su crecimiento hasta la recolección (luego aclararemos).

  - Regar a menudo para favorecer la germinación; hay que hacerlo con cuidado para evitar desenterrar las semillas.

  - Una vez germinadas, hacemos el aclareo dejando aquellas plántulas que han crecido con más fuerza y respetando la distancia aproximada que nos marca el marco de plantación.

B) De plantel

- Cuando compramos el plantel, nos lo darán sin tiesto, recién sacado de un «multipot», y envuelto en papel de periódico para conservar la humedad del pan de raíces.

- Lo podemos conservar dos o tres días antes de plantarlo,

siempre manteniendo la humedad de las raíces y en un lugar fresco.

- Regamos la tierra destinada a la plantación el día anterior.
- Hacemos el agujero con el plantador, clavándolo a la tierra y haciéndolo girar; así haremos el agujero más ancho y nos facilitará la plantación.
- Metemos la planta dentro del hoyo de plantación para comprobar que se ajusta al agujero hecho. Es importante que no quede un espacio vacío debajo del pan de raíces. Si vemos que las raíces están muy enmarañadas habrá que desenredarlas con los dedos.
- Tapamos con tierra todo el pan de raíces y la base del tallo (no más de 1cm) apretando la tierra alrededor para que la planta quede derecha y firmemente sujeta.
- Regar con cuidado.

El mantenimiento: el riego

Programar el riego

Es importante garantizar siempre unos mínimos de humedad a la tierra para asegurar un buen estado de las plantas y mantener los procesos de transformación de la materia orgánica de la tierra a buen ritmo. El agua es necesaria para disolver los nutrientes minerales y así poder ser absorbidos por las raíces de las plantas. La falta de agua implica la disminución de la absorción, la moderación de los procesos fisiológicos y, por lo tanto, del crecimiento, de la floración, de la fructificación y provoca, además, un estrés en la planta que la hace más vulnerable a sufrir enfermedades.

El riego por inundación, muy usado en determinadas zonas, está desaconsejado por varios motivos: consume una gran cantidad de agua, las plantas reciben mucha agua en muy poco tiempo pero luego pueden sufrir escasez, implica la realización y mantenimiento de caballones para conducir el agua dificultando la correcta fertilización mediante compost e imposibilita la presencia de acolchados. También es importante destacar que la materia orgánica en el suelo mejora la retención de agua, facilita su disponibilidad para las plantas y, en el caso de los acolchados, reduce las pérdidas por evaporación manteniéndose más constante la humedad en el suelo.

¿Cada cuánto hay que regar?

No podemos contestar esta pregunta en términos temporales ya que las necesidades de agua de un cultivo dependen tanto de factores ambientales (temperatura y grado de humedad del aire) como del tipo y tamaño de las plantas. También variará según el sistema de riego, si se hace manualmente o con un sistema localizado y automatizado. Es aconsejable llevar a cabo un control del grado de humedad de la tierra: podemos hacerlo de manera sencilla utilizando el sensor de humedad y programando el riego en función de la evolución del grado de humedad de la tierra.

El riego se realizará preferentemente a primera hora de la mañana o al atardecer. Durante las épocas más calurosas se recomienda hacer el riego nocturno porque así disminuimos la temperatura de la tierra que se ha calentado durante todo el día reduciendo las pérdidas por evaporación durante la noche.

Si el riego se automatiza, la aportación de agua al mediodía puede ser beneficiosa por el efecto refrescante que produce en la tierra, evitando el sobrecalentamiento de las raíces que a menudo es negativo para las plantas.

Habrá que intensificar los riegos en época en que sople el viento y éste sea muy seco. El viento, además de secar rápidamente la tierra, obliga a las plantas a realizar una mayor transpiración, lo que les obliga a una mayor absorción por las raíces.

El riego manual

El tipo de cultivo que nosotros hacemos no permite regar con mucha cantidad de agua ya que ésta arrastraría el compost y el acolchado que a menudo cubre la tierra. Hay que regar de forma lenta con el fin de que el agua penetre en profundidad en la tierra, procurando mojar lo mínimo posible las plantas. No hay que olvidar que son las raíces las encargadas de absorber el agua y los nutrientes que ésta disuelve y que éstas se encuentran a cierta profundidad. Muy a menudo, sobre todo cuando se riega con manguera, estamos más pendiente de mojar las hojas y los tallos que la tierra, lo que se traduce en poca humedad en la tierra y mucha entre las hojas, conllevando un mayor riesgo de ataques producidos por hongos. ¡El agua tiene que llegar a las raíces!

Para planificar correctamente el riego manual, empezamos regando bien la tierra y haciendo un seguimiento diario con el sensor de humedad durante una o dos semanas: habrá que ver cuándo los niveles de humedad se acercan a la parte baja del medidor (marca roja) para decidir cuándo hay que volver a regar. Eso nos permitirá definir la frecuencia de riego durante un período de tiempo con unas condiciones meteorológicas similares; por ejemplo, una programación para cada estación del año. También tenemos que prever que si hay lluvias o cambios sustanciales en las condiciones ambientales la programación variará.

El riego localizado

Es aquél que se hace con un sistema de conducción del agua hasta la misma planta. Es la manera más cómoda de regar siempre que la instalación se haga esmeradamente, que esté adaptada al tipo de cultivo y que se programe según sus necesidades. El sistema más sencillo es el de la manguera exudante. Está hecha de un material plástico poroso que permite la salida de agua a través de su superficie, proporcionando una humedad constante y uniforme a la tierra. Es adecuado para el tipo de cultivo que hacemos en el huerto y es bastante fácil de instalar.

Para arbustos y árboles, es más adecuado el sistema mediante emisores (también llamados goteros o, popularmente, gota a gota). Una manguera recurre la zona plantada y, en cada planta, se hace derivar uno o dos tubitos con un emisor en el extremo. Los hay de muchos tipos, según el caudal de agua que sale por hora, pudiendo ser también regulables.

La programación del riego localizado se puede hacer manualmente o de forma automática con un programador. También seguiremos los mismos parámetros que en el riego manual, pero con una diferencia: el localizado permite regar con muy poca agua y eso hace aconsejable hacerlo con más frecuencia. Por lo tanto, habrá que regular la frecuencia y el tiempo que éste está funcionando dependiendo de la época del año (se suele hacer una o dos veces por semana en invierno y hasta dos veces por día en verano) y de las necesidades de las plantas según la fase del ciclo vegetativo en que se encuentran.

Ya apuntamos algunas pautas en el apartado dedicado a las plantas, teniendo en cuenta que las plantas de hoja (lechugas, acelgas, coles….) necesitan más cantidad de agua ya que perseguimos un crecimiento rápido que permita recoger cuanto antes las plantas y que éstas estén tiernas o, en el caso de algunas plantas de fruto, reducir el riego para favorecer un mejor desarrollo del fruto en detrimento del crecimiento de tallos y hojas.

La salud del huerto

En los ecosistemas, la diversidad de especies animales que conviven en un territorio y las relaciones tróficas que se establecen entre ellas evita la proliferación descontrolada de cualquier animal y también de aquellos insectos que se alimentan causando daños a las plantas.

La presencia de enfermedades forma parte indisoluble de la vida y, muchas veces, se convierte en un mecanismo de selección natural que contribuye a potenciar aquellos seres vivos más resistentes en detrimento de los más débiles. Las enfermedades atacan a las plantas más débiles (quedan las más fuertes) o que sufren algún tipo de anomalía de origen genético, hecho que las hace más vulnerables. También cabe considerar los casos de insectos o sus larvas que se alimentan de plantas controlando así la proliferación masiva de éstas favoreciendo así una mayor diversidad vegetal.

La agricultura convencional a menudo parte de la premisa de buscar la solución a los problemas sin cuestionarse su origen, como atajar sus causas o favorecer mecanismos de prevención. Esta solución pasa siempre por el uso, a menudo masivo e indiscriminado, de productos químicos, creando graves desequilibrios y originando que las plagas sean más frecuentes y devastadoras. Por contra, la agricultura ecológica prima la prevención y el establecimiento de las condiciones más adecuadas para tener plantas sanas y resistentes.

Acciones preventivas

- Favorecer la diversidad vegetal del huerto (tanto de las plantas hortícolas como de las acompañantes) y aplicar asociaciones y rotaciones de cultivos. Las vallas verdes o matorrales, con presencia a lo largo del año de plantas en flor (aromáticas, tagetes, caléndulas...), son los refugios idóneos para toda clase de insectos y animales en general que ayudan en el control de plagas.

- Garantizar una buena fertilidad de la tierra para favorecer una disponibilidad equilibrada de nutrientes y evitar enfermedades fisiológicas producidas por exceso o defecto de éstos. Las plantas con carencias nutritivas o exceso son más vulnerables a sufrir enfermedades o a ser atacadas por plagas. Cuando hay un exceso de abonos con alto contenido en nitrógeno (los de origen animal) y rápida asimilación, la composición de la savia cambia, se acelera el crecimiento vegetativo y las hojas atraen más insectos chupadores (pulgones, arañas rojas, mosca blanca, etc.)

- Utilizar plantas bien adaptadas a les condiciones ambientales que les podemos ofrecer, respetando sus ciclos biológicos naturales para crezcan más sanas.

- Retirar las plantas que ya están acabando su ciclo y que han entrado en un proceso de decadencia y debilidad. Su presencia en el huerto favorece la proliferación de plagas y enfermedades.

- Algunos agentes patógenos aprovechan ambientes más húmedos para atacar (sobre todo los hongos). Procurar no mojar asiduamente las partes aéreas de las plantas y regar de manera regular, evitando que la tierra se seque totalmente.

- Observar minuciosamente las plantas, sobre todo controlar el reverso de las hojas que es por donde empiezan a aparecer muchos de los problemas.

- Dar preferencia a las medidas preventivas y a los medios mecánicos de lucha y protección (trampas, redes protectoras, eliminación manual...) y reservar los tratamientos mediante pulverización a casos más graves.

- Aprender a identificar correctamente las plagas, enfermedades y trastornos analizando les posibles causes y combatiéndolas a tiempo.

Animales colaboradores (fauna auxiliar)

- Las mariquitas y sus larvas son devoradores de pulgones, cochinillas y otros insectos, también controlan el oidio ya que se comen las esporas. Las libélulas y las mantis (también llamadas santateresa) devoran insectos y pequeñas orugas.

- La salamanquesa es un reptil de hábitos nocturnos que controla poblaciones de mosquitos y mariposas nocturnas. Las lagartijas también comen insectos y arañas durante las horas de más insolación.

- Las tijeretas viven en la capa superior de la tierra y también se las ve encaramándose a plantas y árboles. Son insectos beneficiosos que se alimentan básicamente de materia animal muerta y de otros insectos. Esporádicamente pueden roer las partes tiernas de los brotes.

- Los murciélagos se alimentan de mariposas nocturnas (algunas perjudiciales para las frutas), arañas y mosquitos. Desarrollan su actividad de noche y habitan tanto en ambientes rurales como urbanos.

- Los erizos, también de hábitos nocturnos, se alimentan de caracoles, gusanos, orugas y pequeños ratones. Sólo se encuentran en entornos rurales y lamentablemente sus poblaciones están en regresión.

- Los pájaros capturan gran cantidad de insectos, sobre todo cuando tienen que alimentar a sus crías. También comen orugas y larvas de distintas especies. Pueden causar daños a nuestras plantas pero podemos tomar medidas para protegerlas: redes protectoras, tiras de aluminio u objetos brillantes movidos por el aire. También en verano es aconsejable ponerles agua para beber y así evitamos en parte que busquen hojas tiernas de nuestras plantas para refrescarse. También podemos instalarles un comedero en invierno que es cuando tienen más problemas para encontrar comida.

- Las arañas siempre se alimentan de pequeños insectos, capturan moscas, pequeñas orugas y larvas en general.

- Los ciempiés y algunos escarabajos se alimentan de pequeños insectos del suelo y no causan ningún daño a las plantas.
- Las lombrices de tierra son excelentes aireadoras del suelo.

En su peregrinar van ingiriendo grandes cantidades de tierra, todo su cuerpo es un intestino donde se mezclan los componentes orgánicos y los minerales del suelo con jugos gástricos favoreciendo así la transformación de éstos y facilitan la formación de sustancias minerales asimilables para las plantas.

- Las avispas se alimentan de otros insectos y son muy eficaces como depredadoras de las larvas del escarabajo de la patata.

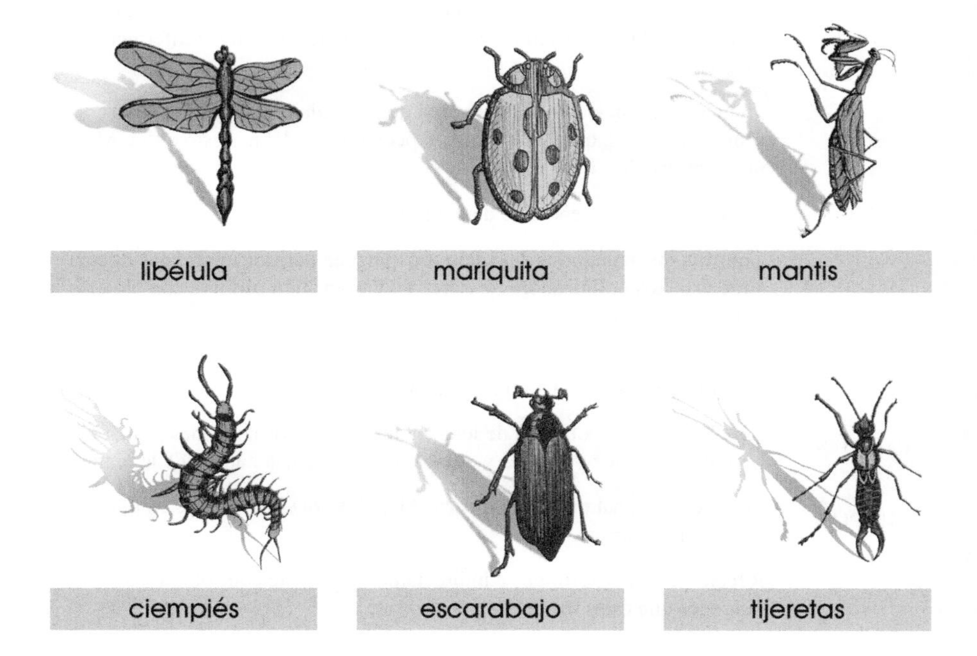

Asociaciones con plantas protectoras

Para obtener este efecto protector tiene que haber una relación de proximidad con la planta a proteger. Esta proximidad, dependiendo del tipo de planta, se dará en forma de cultivo mixto (para aquellas plantas protectoras de tipo anual), en forma de barreras vegetales (para aquellas de tipo leñoso o vivaz) o aplicando diferentes tipos de acolchados. Muchas de estas plantas también serán la base para distintos preparados fitosanitarios naturales que comentaremos más adelante.

PLANTA	ACCIÓN PROTECTORA
ALBAHACA	Repelente de moscas, mosquitos e insectos en general. Se asocia bien con los pimientos y los protege de los pulgones.
AJENJO	Repelente de polillas y la mosca de la zanahoria. Protege a las coles de la mariposa blanca. También protege del ataque de la roya (enfermedad fúngica).
AJO	Plantado en asociación, es muy fácil de intercalar entre otros cultivos, protege de los ataques de hongos, especialmente del molesto oidio. Muy útil para frutales, fresas y rosales.
APIO	Ejerce una acción repelente de pulgones y orugas.
CALÉNDULA	Controla los nemátodos del suelo (que pueden perjudicar algunas raíces), atrae insectos polinizadores y ejerce una asociación positiva con algunas plantas como los tomates.
MANZANILLA	Favorece el cultivo de la col y la zanahoria. Se aplica en infusión como tratamiento reforzante para las plantas.
CAPUCHINA	Repelente de los pulgones de los frutales. Las pulverizaciones protegen a los cultivos de los pulgones y aumenta la resistencia natural de la planta.
CEBOLLA	Protege a la zanahoria de la mosca. Aleja los conejos y se suelen plantar en forma de barrera.
LAVANDA	Repelente de las hormigas e indirectamente permite controlar a los pulgones que éstas trasladan y estimulan.

PLANTA	ACCIÓN PROTECTORA
MENTA	Repelente de la mariposa de la col y de las hormigas.
ROBLE	Las hojas de roble y similares (encinas, alcornoques, coscojas…) aplicadas en acolchados alrededor del huerto repelen a las babosas y larvas de gorgojos.
ROMERO	Repelente de la mosca de la zanahoria.
RUDA	Repelente de moscas y mosquitos. Las pulverizaciones actúan combatiendo los pulgones.
SALVIA	Repelente de la mosca de la zanahoria y de la mariposa de la col. También obtenemos este efecto esparciendo brotes de salvia alrededor de las plantas.
SANTOLINA	Repelente de la mariposa de la col.
TAGETE	Controla los nemátodos del suelo: la raíz secreta una sustancia nematocida. Efectivo para repeler la mosca blanca en invernaderos y también ejerce una cierta acción repelente sobre los insectos en general.
TOMATERA	Repelente de las pulguillas de la col. Un acolchado con sus hojas beneficia su cultivo.

Trastornos, enfermedades y plagas

Podemos clasificar los problemas de las plantas en trastornos, enfermedades y plagas.

Trastorno: alteración de la salud de las plantas que se ven afectadas por unas condiciones ambientales adversas presentando síntomas de debilidad y daños diversos. Estos trastornos están relacionados con la temperatura (variaciones bruscas, frío o calor intenso, etc), la humedad ambiental y la humedad del suelo (irregularidad en el riego).

Enfermedad: alteración de la salud de las plantas producida por agentes parásitos o infecciosos. Las enfermedades pueden ser causadas por hongos, bacterias y virus y sólo podremos apreciar los daños, ya que son seres microscópicos. Los ataques por hongos suelen ser frecuentes, con unos síntomas de fácil detección, y que aparecen con regularidad cuando la temperatura llega a los 20 ºC y hay una elevada humedad ambiental. Afortunadamente son relativamente fáciles de prevenir y combatir. Sin embargo las infecciones por virus y bacterias, aunque menos frecuentes, suelen ser más graves, difíciles de detectar e identificar y de tratamiento complejo y a menudo ineficaz.

Plaga: aparición masiva y repentina de organismos de la misma especie que causan efectos más o menos graves a las plantas. A menudo son ocasionadas por insectos chupadores de savia de la planta (pulgones, mosca blanca, cochinilla, etc) y larvas de moscas y mariposas que comen hojas, brotes tiernos, bulbos, raíces y frutos. También ocasionan daños los ácaros (araña roja) y algunos moluscos como los caracoles y babosas.

Tratamientos fitosanitarios ecológicos

En el huerto ecológico primamos la prevención dando a las plantas las condiciones favorables para que crezcan sanas y resistentes. Como ya hemos detallado,

la detección precoz de cualquier problema será esencial para solucionarlo.

A menudo el control manual puede ser efectivo eliminando algunos pulgones de brotes tiernos ayudados por un pincel, aplastando las puestas de algunas mariposas en el reverso de las hojas, buscando y sacando las orugas que empiezan comer las hojas, recogiendo los caracoles a primera hora de la mañana, etc. También podemos aplicar algunas trampas efectivas tal como detallaremos más adelante.

Una vez aplicadas todas estas medidas correctoras podemos recurrir a determinados tratamientos fitosanitarios con finalidades reforzantes y preventivas, curativas o con efecto insecticida. Estos tratamientos los podremos realizar a partir de recetas que nosotros mismos podemos preparar o con productos comercializados específicos para su uso en agricultura ecológica (tienen que venir claramente especificado en el etiquetado).

PROBLEMA	CAUSAS	SÍNTOMAS Y DAÑOS	EPOCA	PREVENCIÓN/SOLUCIÓN	PLANTAS
TRASTORNOS CAUSADOS POR FACTORES AMBIENTALES ADVERSOS					
Escasez de agua	Riego irregular	• Marchitez temporal • Marchitez permanente y muerte (si el problema es acusado) • Poco desarrollo y floración escasa • Mayor sensibilidad a los ataques de hongos		• Controlar los riegos evitando que la tierra se seque por completo • Aplicar acolchados para evitar pérdidas por evaporación • Mejorar la retención de agua de la tierra añadiendo arcilla en caso de suelos arenosos y más compost	
Exceso de agua	Riego irregular	• Asfixia de las raíces por falta de aireación • Pudrición de las raíces que son atacadas por hongos • Clorosis de las hojas especialmente alrededor de los nervios • Caída de capullos y yemas • Agrietado de frutos • Marchitez general		• Controlar los riegos evitando encharcamientos • Garantizar un adecuado drenaje de la tierra (quizás sea demasiado arcillosa y necesita un aporte de arena)	
Temperatura alta	• Veranos excesivamente calurosos • Plantaciones cercanas a muros que reciben una fuerte insolación	• Pérdida de turgencia de las hojas • Margen y punta de la hoja seca • Caída de botones florales y de hojas		• Resguardar las plantas del sol de mediodía con una malla sombreadora. • Proteger los muros que reciben la insolación con plantas trepadoras para mejorar las condiciones microclimáticas.	
Temperatura baja	Inviernos fríos	• Pérdida de turgencia y ennegrecimiento de las hojas • Tierra helada que puede afectar a las raíces		• Plantar en zonas protegidas del frío intenso. • Seleccionar aquellas plantas más resistentes. • Pulverizar agua hasta que se hiele encima de la planta. El hielo ejerce una efecto protector estando a 0 °C evitando que se hiele el interior de la planta • Acolchar el suelo con paja	

PROBLEMA	CAUSAS	SÍNTOMAS Y DAÑOS	EPOCA	PREVENCIÓN/SOLUCIÓN	PLANTAS
Viento (intensidad)	Exposición a sitios ventosos	• Daños físicos con rotura de ramas y tallos y caída de frutos • Efectos sobre la planta causados por la sequedad que provoca en el suelo agravados por una mayor demanda de agua por el aumento de la transpiración de las hojas		• Resguardar las plantas del viento intenso mediante barreras vegetales	
Grado de insolación escaso	Sitios demasiados sombríos	• Estiramiento i inclinación de los tallos • Formación de la planta inadecuada • Pérdida de capacidad de floración		• Buscar una alternativa más soleada • Seleccionas aquellas especies, básicamente de hoja, que mejor se adapten a vivir con menos insolación	
ENFERMEDADES CAUSADAS POR HONGOS					
Oidio (Mediante gotas de agua de la lluvia, que arrastran las esporas que vuelan por el aire, y corrientes de aire.)	• Temperaturas por encima de los 20ºC junto a una elevada humedad ambiental. • Tierra seca, la irregularidad en el riego afecta al funcionamiento de la planta volviéndose más vulnerable.	Manchas irregulares polvorientas sobre las hojas y partes tiernas de las plantas de color blanco o gris. Las hojas se marchitan pudiendo caer los botones florales	Primavera y verano donde se alternan días lluviosos con días calurosos	• Favorecer la aireación entre los cultivos • Moderar los riegos evitando mojar las hojas • Aplicar tratamientos preventivos y curativos cuando aparecen los primeros síntomas	• Pepinos • Calabacines • Acelgas • Guisantes • Membrillo • Otras plantas de jardín
Roya (Mediante gotas de agua de la lluvia. Transporte de esporas por insectos.)	Alta humedad ambiental, aire estancado, hojas muy húmedas.	Pústulas verrugosas de color pardo-rojizo en el reverso de las hojas y en tallos tiernos. Provoca decoloración, marchitez y muerte de los tejidos vegetales.	Veranos y otoños húmedos	•Buena ventilación de los cultivos •Retirar las hojas afectadas •Aplicar tratamientos preventivos síntomas	• Judías • Ciruelo • Membrillo • Rosales • Otras plantas de jardín

PROBLEMA	CAUSAS	SÍNTOMAS Y DAÑOS	EPOCA	PREVENCIÓN/SOLUCIÓN	PLANTAS
Mildiu (Mediante gotas de agua de la lluvia.)	Aparece en épocas lluviosas y cuando la temperatura se sitúa entre los 10 y 20°C.	Manchas amarillentas por el anverso (de contorno irregulas y aspecto oleaginoso) y blanquecinas por el reverso. Acaba por afectar a toda la planta.	Todo el año en climas templados sin inviernos muy fríos	• Buena ventilación de los cultivos mediante podas y aclareos • Moderar los riegos evitando mojar las hojas • Aplicar tratamientos preventivos y curativos cuando aparecen los primeros síntomas	• Patatera • Tomatera • Viña • Lechugas • Coles • Cebollas • Rosales • Otras plantas de jardín
PLAGAS					
Ácaros (araña roja o amarilla)	Calor fuerte, ambiente seco y riego escaso. Las plantas sobrefertilizadas son más propensas a sufrir ataques.	Hojas jaspeadas de color amarillo por el anverso, debido a las picaduras, y por el reverso se observa como un fieltro de color gris. Las hojas amarillean del todo y acaban cayéndose. Podemos observar las arañas con una lupa ya que no miden más de 1 mm. Tienen mucha movilidad.	Veranos secos	• Mantener la humedad del suelo. • Pulverizar las hojas intensamente si se detecta su presencia, así impedimos su proliferación.	• Judías • Guisantes • Calabacines • Tomates • Pepinos • Frutales • Rosales
Pulgones	Aire seco, exceso de abono nitrogenado, debilidad de la planta.	Hojas deformadas y pegajosas ya que a medida que van chupando savia secretan una sustancia blanquecina. Transmiten el hongo que causa la negrilla.	Primavera y verano	• Combatir eficazmente desde los inicios de los ataques. • Controlar la presencia de hormigas que buscan y transportan los pulgones para alimentarse de la sustancia que secretan.	•Todas
Cochinilla	Ambientes secos. Crecimiento vegetativo intenso debido a un abonado de rápida asimilación.	Aparecen en forma de escudos marrones o de aspecto algodonoso, de unos 5 mm de tamaño, en el reverso de las hojas y en tallos jóvenes. También secretan melazas que gotean de las hojas. Las hojas tienden a amarillear hasta que caen.	Todo el año sobretodo en los cambios de tiempo	• Vigilar especialmente el reverso de las hojas. • Combatirlas eficazmente desde el momento de la aparición.	• Olivos • Cítricos • Plantas leñosas diversas

PROBLEMA	CAUSAS	SÍNTOMAS Y DAÑOS	EPOCA	PREVENCIÓN/SOLUCIÓN	PLANTAS
Mosca blanca	Ambiente húmedo y temperaturas altas y estables.	Hojas picadas y descoloridas. Se refugian en el reverso de las hojas y revolotean cunado tocamos la planta. También producen melazas pegajosas que favorecen la transmisión de la negrilla y diversos hongos.	Todo el año en climas templados.	• Combatir eficazmente desde los inicios de los ataques pulverizando por el envés de las hojas antes que empiecen a volar.	•Todas
Orugas minadoras o devoradoras de hojas (larvas de insectos varios como moscas, polillas, mariposas, escarabajos)	Ninguno en concreto. Los insectos mencionados ponen sus huevos en diversas plantas de donde nacen las larvas (orugas) que son grandes devoradoras de hojas y troncos.	Hojas roídas desde los bordes (algunas lo hacen de noche escondiéndose de día). Tallos minados o galerías perforadas en el limbo foliar produciendo una deformación de la hoja. Frutos perforados.	Finales de invierno y primavera	• Controlar el reverso de las hojas. Así detectamos las puestas (multitud de pequeños granitos ordenadamente colocados) que podemos aplastar con el dedo). • La eliminación manual o con pinzas resulta muy efectiva en huertos de pequeñas dimensiones.	• Col • Zanahoria • Puerro • Tomate • Olivo • Rosales • Varias plantas de jardín

Productos fitosanitarios caseros

Estos productos se hacen a partir de plantas que ejercen una acción sobre las plantas enfermas, atacadas o con algún síntoma de debilidad. Se trata de una acción fitoterapéutica de forma similar a cuando usamos plantas medicinales para tratar alguna dolencia o trastorno de nuestro organismo.

Para su preparación describimos primero los diferentes métodos de elaboración de productos para luego detallar las recetas concretas con sus aplicaciones.

Métodos de preparación:

- ***Infusión***
  Troceamos la parte de la planta indicada para el tratamiento y se escalda con agua que ha llegado al punto de ebullición. Tapamos y dejamos en reposo infusionando durante 12 horas. Filtramos, diluimos y aplicamos.

- ***Decocción***
  Troceamos la parte de la planta indicada para el tratamiento y dejamos en remojo en agua fría durante 24 horas. Después la hervimos durante 20 minutos, dejándola posteriormente enfriar con el recipiente tapado. Filtramos, diluimos y aplicamos.

- ***Maceración***
  Troceamos la parte de la planta indicada para el tratamiento y se deja en maceración sin remover y con el recipiente tapado (no herméticamente) en agua fría durante los días indicados en la receta. Filtramos, diluimos y aplicamos.

• ***Purín fermentado***

Troceamos la parte de la planta indicada para el tratamiento y las ponemos en remojo en un recipiente de plástico o barro (no metálico) con una tapa no hermética. Removemos el preparado enérgicamente cada día para oxigenar la mezcla durante unos 15 días. Observaremos que durante este período el líquido se va oscureciendo y al removerlo se produce una espuma en la superficie. La planta se va descomponiendo en el agua y el proceso acabará cuando observamos que ya no se forma espuma al removerlo (al cabo de unos 15 días aproximadamente, siendo este período menor en épocas más calurosas). Filtramos, diluimos y aplicamos.

• ***Purín en fermentación***

El procedimiento es igual al del purín fermentado, pero se detiene el proceso al cabo de pocos días según nos detallará la receta correspondiente.

• ***Tintura***

Poner a macerar las plantas troceadas en alcohol durante los días indicados. Filtramos, diluimos y aplicamos.

Observaciones generales

1. Las dosis indicadas en las recetas siempre se refieren a la cantidad de la planta por litro de agua para obtener un preparado concentrado. Éste se tendrá que diluir; las diluciones se indican en porcentaje. Si la dilución tiene que ser del 10%, querrá decir que para preparar 10 litros de preparado final diluiremos 1 litro de concentrado en 9 de agua. En algunos casos se aplicará sin diluir.

2. Los preparados se filtran para evitar la obturación de los aparatos de pulverización. Los filtros tienen que ser finos, por ejemplo de algodón. Al mismo tiempo que hacemos el filtrado, prensamos las plantas para escurrir el máximo de líquido.

3. Utilizaremos preferentemente agua de lluvia o destilada.

4. Los tratamientos no se harán a pleno sol excepto que nos lo indiquen expresamente.

5. Las infusiones hay que prepararlas en el momento de la aplicación y no se conservan más de 2 o 3 días. Los demás preparados se pueden conservar tapados en recipientes y en un sitio fresco.

6. Los tratamientos se realizarán pulverizando la planta uniformemente sin que chorree, por arriba, por abajo y por el interior del follaje. Se aconseja utilizar los pulverizadores que disponen de un émbolo que da presión al líquido y permite una pulverización fina y uniforme.

7. Los tratamientos preventivos frente a unos ataques concretos se realizan durante la fase de crecimiento con una peridiocidad de 2 o 3 semanas.

8. Muchas de las plantas que utilizamos para estos tratamientos las podemos adquirir en herbolarios ya que también se usan como plantas medicinales.

PLANTA Y DOSIS	MÉTODO DE PREPARACIÓN	DILUCIÓN	APLICACIONES (ataques y enfermedades a combatir)
AJO Dientes troceados: 50 g/l	Infusión	20%	Enfermedades producidas por hongos y ataques de ácaros y pulgones. Pulverizar a pleno sol 3 días seguidos mojando también el suelo alrededor del tallo. Repetir al cabo de 10 días si el problema se reproduce.
CEBOLLA Bulbos troceados: 100 g/l	Purín en fermentación (7 días)	10% 5%	• Enfermedades producidas por hongos. Pulverizar a pleno sol 3 días seguidos mojando también el suelo alrededor del tallo. Repetir al cabo de 10 días si el problema se reproduce. • Repelente de la mosca de la zanahoria (sus larvas comen la raíz). Tratar preventivamente las plantas durante el crecimiento cada 15 días.
MANZANILLA Flores secas: 50 g/l	Infusión	10%	Como reforzante y preventivo de enfermedades y ataques de plagas. Pulverizar preventivamente durante la etapa de crecimiento cada 15 días.
CAPUCHINA Planta fresca: 100 g/l	Infusión	5%	Repelente de pulgones y mosca blanca.
AJENJO Planta fresca: 150 g/l Planta seca: 15 g/l	Purín fermentado Decocción Infusió	20% 20% 20%	• Repelente de orugas, pulgones, hormigas y otros insectos perjudiciales. Pulverizar sobre las plantas afectadas. • Repelente de mosca de la col (sus larvas atacan la yema central). Pulverizar preventivamente. • Contra los ácaros y la roya. Repelente de las babosas y caracoles (pulverizar sobre el suelo).
COLA DE CABALLO Planta fresca: 150 g/l Planta seca: 15 g/l	Decocción	20%	Preventivo y curativo frente a los ataques de hongos.

PLANTA Y DOSIS	MÉTODO DE PREPARACIÓN	DILUCIÓN	APLICACIONES (ataques y enfermedades a combatir)
ORTIGA Planta fresca: 100 g/l	Purín fermentado	5%	• Como tratamiento nutritivo y reforzante pulverizar las hojas o utilizar como fertilizante líquido. • Para corregir la clorosis de las hojas de los frutales (amarilleamiento producido por la falta de asimilación de hierro). Pulverizar durante la brotación.
	Purín en fermentación (4 días) + decocción de cola de caballo (0,5 l de concentrado por litro de concentrado de ortiga).	2%	• Contra los pulgones y ácaros.
	Maceración 24 h	Sin diluir	• Contra los pulgones.
RUDA Hojas frescas: 15 g/l	Maceración 15 días	20%	Contra los pulgones.
SAÚCO Flores secas: 50 g/l	Decocción	Sin diluir	Contra los pulgones.
TOMATERA Brotes de la poda. Purín: 50 g/l	Purín en fermentación 12 días.	Sin diluir	• Prevención contra la polilla de la cebolla y el puerro (sus larvas se comen el bulbo) y las pulguillas de las crucíferas.
Tintura: 500 g/l de alcohol	Tintura. Dejar macerar 8 días. Prensar y filtrar.	3%	• Contra la mosca del puerro y los pulgones.
TABACO DE PIPA 60 g/l	Decocción mezclado con 10 g/l de jabón potásico.	25%	Contra los pulgones, orugas minadoras de hojas y la mosca blanca.
ALTRAMUZ	Triturar las semillas y hacer una pasta con aceite vegetal.		Embadurnar los troncos de los árboles para impedir la subida de hormigas (son dispersadoras de pulgones).
LAVANDA y menta poleo Hojas y flores secas: 100g/l	Infusión	Sin diluir	Repelente de hormigas

PLANTA Y DOSIS	MÉTODO DE PREPARACIÓN	DILUCIÓN	APLICACIONES (ataques y enfermedades a combatir)
ROBLE y ENCINA Hojas y ramitas troceadas: 100 g/l	Purín fermentado	20% Sin diluir	• Insecticida general. Pulverizar en las plantas más atacadas. • Repelente de hormigas.
MELIA Hojas secas: 150 g/l	Maceración 3 días	Sin diluir	Insecticida general. Pulverizar en plantas más atacadas.
Tratamientos con productos no vegetales			
JABÓN POTÁSICO (*)	Disolver 20 g /l de jabón. Disolver 20 g de jabón en 1 l de agua. Añadir 50 ml de alcohol de quemar, una cucharadita de cal y una de sal.	/	• Contra los pulgones, las cochinillas, los trips y la mosca blanca. • Contra ataques intensos de orugas. Pulverizar sobre las plantas afectadas.

(*) Es muy interesante la acción del jabón potásico ya que permite controlar las plagas cuando éstas inician su ataque. Es un jabón natural hecho con aceites reciclados y potasa, que adquiere un aspecto pastoso y de color oscuro (también recibe el nombre de jabón negro). Se puede adquirir en droguerías, algunos supermercados y tiendas especializadas en cultivos ecológicos.

Otros métodos de control

- Control de poblaciones de caracoles y babosas

    - Cerveza: llenar hasta la mitad recipientes de boca ancha colocándolos a ras de suelo. La cerveza atrae los caracoles y babosas, que se ahogan en el líquido. Conviene retirar periódicamente los animales capturados y renovar la cerveza cada 3 o 4 días.

    - Facilitar zonas de refugio durante las horas de más calor y sol. Pueden ser útiles las tejas de barro boca abajo, que iremos humedeciendo, o sacos húmedos enrebujados. Periódicamente recogeremos los caracoles y babosas allí escondidos.

- Control de insectos mediante trampas

    - **Trampas alimenticias**: son recipientes de cristal o plástico con un orificio de entrada en la parte inferior por el cual entran los insectos y, una vez dentro, no saben salir. Como atrayentes se utilizan diferentes tipos de esencias de flores y plantas (para controlar poblaciones de avispas), zumos de frutas o vinagre (control de la moscas de la fruta y del olivo). También suele ser efectivo llenar tarros con miel diluida en agua poniéndolos a ras de suelo para capturar hormigas.

    - **Trampas pegajosas**: en forma de bandas de fondo amarillo o verde con una sustancia pegajosa atrayente que se cuelga de los árboles o se enrollan alrededor de los troncos para impedir el acceso de insectos no voladores a la copa de árbol.

Productos comerciales biológicos

Existe en el mercado toda una serie de productos autorizados para el control de enfermedades y plagas aptos para su uso en cultivos ecológicos (hay que mirar específicamente el etiquetado).

- **Fungicida de azufre.** Producto a base de azufre para disolver en agua para combatir ataques de oidio y ácaros. También se puede aplicar azufre en polvo espolvoreando sobre las plantas afectadas.

- **Fungicida de cobre**. Útil para la prevención de los ataques producidos por el mildiu y para hacer frente a algunas enfermedades bacterianas. Se aplica especialmente en el cultivo de viña y para tratar los rosales, muy propensos a los ataques de hongos. Se debe aplicar con moderación ya que tiene cierta toxicidad para la fauna auxiliar.

- **Cola de caballo (equiseto).** Preparado a base de la planta seca finamente triturada, hay que ponerlo en maceración filtrar y diluir. Se aplica como preventivo frente a los ataques de hongos. También se comercializan preparados líquidos semidiluidos.

- **Ortiga en polvo.** Preparado a base de ortiga seca finamente triturada, hay que poner la dosis indicada en maceración, filtrar y diluir. Se aplica pulverizando o sobre el suelo como reforzante y para paliar déficit de hierro. También se comercializan preparados líquidos semidiluidos.

- **Extracto de nim.** El nim es un árbol de origen asiático (*Aza-*

dirachta indica) con propiedades insecticidas concentradas especialmente en sus semillas. Se presenta en distintos formatos y nombres comerciales. Se aplica como insecticida de amplio espectro y únicamente hay que recurrir a él de forma localizada y cuando los ataques han sido más intensivos. También se utiliza para desparasitar animales domésticos.

Recursos bibliograficos y en internet

Bibliografía

AYUNTAMIENTO DE BARCELONA. Sector de Servicios Urbanos y Medio Ambiente. Dirección de programas ambientales. ***L'hort escolar. Guia pràctica d'horticultura ecològica.*** Barcelona, 2006.

AYUNTAMIENTO DE BARCELONA. ***Guía de jardinería sostenible.*** Colección Guias de Educación ambiental, nº 14.

BUENO, M. ***El huerto familiar ecológico: la gran guía práctica del cultivo natural.*** Barcelona: RBA, 1999.

CABALLERO DE SEGOVIA, G. ***El huerto ecológico fácil.*** Palma de Mallorca, 2002.

M. L. KREUTER. ***Jardín y huerto biológicos.*** Mundi Prensa (1994).

ROMERO, J. ***El rebost de la ciutat. Manual de permacultura urbana.*** Fundació Terra (2002).

VALLÈS, J. M. ***El huerto urbano. Manual de cultivo ecológico en balcones y terrazas.*** Barcelona: Ediciones del Serbal, 2007.

La fertilidad de la tierra. Revista trimestral d'agricultura ecológica.
www.lafertilidaddelatierra.com

WEBS DE INTERES

www.educaplus.org

Web personal dedicada al mundo de la educación que dispone de este apartado dedicado a la meteorología y en la que podemos encontrar información detallada del clima de cualquier zona del planeta.

www.asocoa.com

Empresa de productos fitosanitarios y fertilizantes que dispone de una amplia gama de productos ecológicos para nuestro huerto y jardín que se pueden adquirir desde la web.

www.bcn.es/agenda21/

Web del ayuntamiento de Barcelona desde donde podemos acceder al Centro de Documentación y desde donde podemos descargar la Guía de Jardinería Sostenible y otras publicaciones sobre temas ambientales.

www.ccpae.org

Página oficial del Consejo Catalán de la Producción Agraria Ecológica de Cataluña donde podemos consultar toda la normativa europea referente a la agricultura ecológica.

www.infojardin.com

Es una gran enciclopedia de jardinería en internet. Incluye también apartados dedicados a los frutales y cultivos hortícolas. Dispone de un foro de usuarios muy concurrido.

www.compostadores.com

Dedicada exclusivamente al compostaje podemos encontrar información detallada sobre el proceso y disponen de una gran variedad de recipientes para compostar y accesorios diversos que podemos adquirir por internet.

www.ecoterra.org

Web de la Fundación Terra que dispone de algunas publicaciones propias que se pueden descargar gratuitamente, algunas dedicadas a temas relacionados con la agricultura ecológica y el compostaje.

www.infoagro.com

Dedicada a los cultivos agrícolas desde un punto de vista más técnico y profesional, pero muy útil para encontrar información detallada sobre cualquier cultivo hortícola, frutal u ornamental. No es específicamente de agricultura ecológica.

Glosario

Alcorque: hoyo que se hace al pie de los árboles para retener el agua en los riegos.

Anverso: parte del limbo de la hoja de los vegetales que está orientada hacia la luz solar.

Aporcar: cubrir con tierra ciertas plantas para que se pongan más tiernas y blancas o proteger órganos subterráneos como las patatas o zanahoria.

Arbusto: vegetal leñoso que se caracteriza por una ramificación desde la base.

Arcilla: nombre dado a las partículas minerales del suelo más pequeñas de 0,002 mm de diámetro.

Arena. Nombre dado a las partículas minerales del suelo comprendidas entre 0,02 y 2 mm de diámetro.

Autofértil: aplicado a los árboles frutales, es el que tiene la facultad de fructificar a partir de la fecundación con su propio polen.

Autoestéril: aplicado a los árboles frutales, es el que no tiene la facultad de fructificar a partir de la fecundación con su propio polen y necesita de un compañero de polinización de la misma especie.

Bancal: franja de tierra de forma rectangular donde se cultiva.

Brácteas: pequeñas láminas que presentan algunas hojas y que se hallan situadas en la base del pecíolo justo en la intersección con el tallo.

Bulbo: órgano ordinariamente subterráneo constituido por un tallo corto y grueso, con una yema destinada a originar el tallo aéreo rodeado de hojas carnosas ricas en reservas.

Caulinar: perteneciente o relativo al tallo de los vegetales.

Celosía: enrejado de listoncillos de madera o de plástico que se utiliza con fines decorativos en los jardines y que sirve de soporte para plantas trepadoras, volubles o con zarcillos.

Corredor biológico: espacios con abundantes vegetales de todo tipo (árboles, arbustos, plantas herbáceas) que favorecen la conexión de grandes espacios naturales permitiendo la circulación de la fauna.

Crecimiento vegetativo: crecimiento vegetal relativo a la formación de nuevas hojas y tallos. Frecuentemente un exceso de crecimiento hace disminuir la floración y, por lo tanto, la formación de frutos.

Cuello de la planta: parte de la planta donde termina el tallo y empieza la raíz coincidiendo con el nivel superior de la tierra.

Drenaje: propiedad de las tierras para evacuar el agua de riego o de la lluvia que no ha sido retenida por las partículas del suelo.

Equinoccio: época en que, por hallarse el Sol sobre el Ecuador, los días son iguales a las noches en toda la Tierra, lo cual sucede anualmente del 20 al 21 de marzo y del 22 al 23 de septiembre.

Erosión hídrica: es aquella producida por efecto del agua y que ocasiona pérdidas de partículas del suelo.

Estolón: tallo especial que desarrollan algunos vegetales como la fresa que crece horizontalmente desde el centro de la planta hacia los laterales y que al brotar permite desarrollar nuevas plantas.

Fermentación anaeróbica: proceso de descomposición de la materia orgánica que tiene lugar sin presencia de oxígeno ocasionando malos olores y produciendo líquidos oscuros que reciben el nombre de lixiviados.

Folíolos: cada una de las pequeñas hojitas que constituyen en su conjunto el limbo de las hojas compuestas.

Fotosíntesis: proceso fisiológico realizado por los vegetales que consiste en la fabricación de compuestos orgánicos a partir de compuestos inorgánicos (anhídrido carbónico, agua y sales minerales) utilizando como fuente energética los rayos del sol. Como resultado se desprende gran cantidad de oxígeno que es liberado a la atmósfera.

Hoja compuesta: es aquella cuyo limbo se ha dividido en hojitas más pequeñas denominadas foliolos.

Hoja simple: es aquella cuyo limbo está formado por una única unidad.

Hojas verticiladas: son aquellas que surgen de un mismo nudo del tallo de una planta.

Limbo: parte principal de la hoja de forma laminar y color verde que tiene la misión de captar la luz solar y el anhídrido carbónico (CO2) para hacer la fotosíntesis, expulsar el oxígeno y regular la transpiración.

Limo: fracción del suelo integrada por partículas minerales comprendidas entre 0,02 i 0,002 mm de diámetro.

Mantillo: capa superior del suelo, formada en gran parte por la descomposición de materias orgánicas tanto de origen vegetal como animal.

Mata: arbusto de pequeño tamaño.

Meteorización: proceso relativo al deterioro de rocas minerales producido por agentes meteorológicos como la lluvia, el viento y el hielo.

Plantel: coloquialmente sirve para referirse a las plantitas que compramos en un vivero y que plantamos en el huerto.

Pubescentes: relativo a aquellas partes de algunas plantas recubiertas de una fina vellosidad.

Reverso: parte inferior del limbo de las hojas que está siempre de espaldas a la luz solar.

Rizoma: tallo subterráneo engrosado que presentan algunas plantas y que les permite extenderse y dar nuevos ejemplares.

Transpiración: proceso que realizan los vegetales consistente en expulsar agua en forma de vapor a través del limbo de las hojas con la finalidad de hacer funcionar la absorción de agua y nutrientes por parte de las raíces y hacerlos llegar a las hojas para realizar la fotosíntesis. Mediante la transpiración las plantas también regulan su temperatura interna. Más del 95 % del agua absorbida por las raíces es expulsada mediante este proceso.

Tubérculo: órgano caulinar subterráneo, engrosado y rico en sustancias de reserva.

Zarcillo: cada uno de los órganos largos, delgados y volubles que tienen ciertas plantas y que sirven a estas para asirse a tallos u otros objetos próximos. Pueden ser de naturaleza caulinar, como en la vid, o foliácea, como en la calabacera y en el guisante.

Notas sobre tu huerto:

PROYECTO
natur

PROYECTO
natur

PROYECTO
natur